KB143181

헨리 6세 2부

한국셰익스피어학회 작품총서 020

헨리 6세 2부
Henry VI, Part II

윌리엄 셰익스피어 지음
오수진 옮김

도서출판 동인

발간사

지금까지 셰익스피어 작품에 대한 번역은 끊임없이 다양한 동기에 의해 진행되어 왔다. 초창기 셰익스피어 작품 번역은 일본어 번역을 우리말로 옮기는 작업이었다. 일본이 서구에 대한 수용을 활발한 번역을 통해서 시도하였기 때문에 일본어를 공부한 한국 학자들이 번역을 하는데 용이했던 까닭이었다. 하지만 이 경우는 문학적인 차원에서 서구 문학의 상징적 존재인 셰익스피어를 문학적으로 소개하는 것이 목적이어서 문어체를 바탕으로 문장의 내포된 의미를 부연하게 되어 매우 복잡하고 부자연스러운 번역이 주조를 이루었던 것이 문제가 되었다.

그 다음 세대로서 영어에 능숙한 학자들이나 번역가들이 셰익스피어 번역에 참여하게 되었다. 셰익스피어 작품에 대한 수많은 주(note)를 참조하여 문학적 이해와 해석을 곁들인 번역은 작품의 깊이를 파악하는데 많은 도움이 되었다고 볼 수 있다. 하지만 셰익스피어 작품을 무대에 올리는 배우들에게는 또 다른 문제가 생길 수밖에 없었다. 문학적 해석을 번역에 수용하는 문장은 구어체적인 생동감을 느낄 수 없었고, 호흡이 너무 길어 배우가 대사로 처리하기에 부적합하였다.

이런 문제점을 해결하기 위해서 번역가마다 각자 특별한 효과를 내도록 원서에서 느낄 수 있는 운율적 실험을 실시하기도 하였다. 그런 시도는 셰익스피어 번역에 새로운 분위기를 자아내었을 뿐 아니라 다양한 번역이 이루어져 나름의 의미가 있었다고 본다. 반면에 우리말을 영어식의 운율에 맞추는 식의 인위적 효과를 위해서 실험하는 것은 배우들이 대사 처리하기에 또 다른 부자연성을 느끼게 하였다.

한국에서 셰익스피어를 연구하는 학자들이 모이는 한국셰익스피어학회에서 셰익스피어 탄생 450주년을 기념하여 셰익스피어 전작에 대한 새로운 번역을 시도하기로 하였다. 우선 이번 번역은 셰익스피어 원서를 수준 높게 이해하는 학자들이 배우들의 무대 언어에 알맞은 번역을 한다는 점에서 차별성을 두고자 한다. 또한 신세대 학자들이 대거 참여하여 우리말을 현대적 감각에 맞게 구사하여 번역을 하자는 원칙을 정하였다.

시대가 바뀔 때마다 독자들의 언어가 달라지고 이에 부응하는 번역이 나와야 한다고 본다. 무대 위의 배우들과 현대 독자들의 언어감각에 맞는 번역이란 두 마리 토끼를 잡는 것은 그리 쉬운 일은 아니지만 매우 의미 있는 일일 것이다. 이번 한국 셰익스피어 학회가 공인하는 셰익스피어 전작 번역이 성공적으로 이루어지도록 뒷받침하는 도서출판 동인의 이성모 사장에게 심심한 감사의 뜻을 전하며 인문학의 부재의 시대에 새로운 인문학의 부활을 이루어내는 계기가 되리라 믿는다.

2014년 3월

한국셰익스피어학회 17대 회장 박정근

옮긴이의 글

2012년 한국셰익스피어학회에서 셰익스피어 전작번역작업을 기획한다는 소식을 접하고 역자는 고민 끝에 신청을 하였다. 그런데 너무 뒤늦게 합류한 나머지 남아 있는 작품이 거의 없어서 자의반 타의반으로 『헨리 6세 2부』를 선택하였다. 『헨리 6세』는 우리나라 학부 과정에서 거의 다루어지지 않는 편이며, 역자 역시 대학원 박사과정에 와서야 처음으로 접하였다. 이후 거의 10년 만에 이번 기획을 통해 다시 『헨리 6세』를 읽게 되었다. 전에는 수업 시간에 발표를 위한 목적으로 읽어서 토론 거리를 찾아내는데 급급해하며 읽었다면 이번에는 작품 번역을 위해 사건의 흐름과 등장인물들의 상황과 감정에 이입하며 읽도록 노력했다. 『헨리 6세』 3부작은 셰익스피어가 습작기에 쓴 초기작으로 여러 가지 면에 있어서 셰익스피어의 본격 희극이나 비극에 비해 완성도가 떨어지고 매끄럽지 않다는 평을 많이 받는다. 하지만 3부작 중에 2부가 가장 튼튼한 플롯을 보여주며, 인물의 성격묘사도 비교적 탁월한 편이고, 무엇보다 다양한 음모 사건이 등장해 그 전개 과정을 흥미진진하게 읽을 수 있다.

번역 텍스트로는 아든 셰익스피어 시리즈 3편을 중심으로 참고하였고, 케임브리지 편집본의 주석을 함께 참고하였다. 이번 기획의 목표가 학문적 텍스트 읽기가 아닌 무대공연을 위한 대본작성이라는 점을 감안하여 구어체로 옮기고 한자식 표현을 최대한 자제하려고 노력했지만 원문과 가깝게 번역하기 위해서 어색한 문어체 표현이 종종 보인다. 주석을 최대한 자제하라는 학회 번역방침에 따라 독자의 이해를 돕기 위해 일부분만 각주로 처리하였다. 무엇보다 역자가 처음으로 셰익스피어 작품을 번역해 보는 것이라 많이 부족해 큰 아쉬움이 남는다. 하지만 현재 우리나라에 『헨리 6세』 3부작이 다른 작품들에 비해 번역이 많이 이루어지지 않고 있기 때문에 역자의 부족한 번역본이 셰익스피어를 사랑하는 독자들과 관객들에게 조금이나마 도움이 되기를 바란다. 아울러 아직 『헨리 6세』 3부작이 우리나라에서 제대로 공연된 적이 없기 때문에 이번 기획을 계기로 우리나라에서도 『헨리 6세』 공연을 자주 볼 수 있기를 고대한다.

2016년 3월

오수진

| 차례 |

등장인물

랑카스터 가문 사람들

왕 헨리 6세

마가렛 왕비

글로스터 공작 험프리, 왕의 숙부

공작부인 엘리노어

윈체스터 추기경 보포트, 왕의 종조부

서포크 후작

소머셋 공작

버밍엄 공작

클리포드

클리포드 아들

보

요크 가문 사람들

요크 공작 리처드

에드워드 요크 공작의 아들

리처드 요크 공작의 아들, 후의 리처드 3세

설즈베리 백작

워릭 백작

청원과 전투 장면 **토마스 호너** 갑옷 제작자(병기공)

피터 섬프 호너의 도제

청원자들, 도제들, 이웃들

주술 장면 **존 흄**

존 서들

마저리 조단 무녀

로저 볼링브로크 주술가

정령

가짜 기적 장면 **시몬 심콕스**

심콕스의 아내

세인트 앨번스 시장

교구의 하급관리
시민들

엘리노어 부인의 참회 장면
기사 존 스탠리
런던의 주 행정관
전령관, 감시관
하인들, 관리들, 평민들

글로스터 공작의 살해 장면
두 자객
평민들

서포크의 살해 장면
함대장
선장
선장의 조수
월터 휘트머
두 신사

케이드의 반역 장면
조지
닉
잭 케이드
도축업자 딕
직공 스미스
톱질꾼
폭도들
엠마누엘 차탐의 서기
마이클
기사 험프리 스태포드
스태포드의 동생
세이 경
스케일스 경
매튜 고프
알렉산더 아이든
고수들, 병사들, 나팔수들, 시민들

기타
종자들, 매부리들, 파발꾼, 사자들

1막

1장

런던, 궁정

화려한 나팔 취주, 이어서 오보에 소리, 헨리 왕과 글로스터 공작, 설즈베리 백작, 워릭 백작, 보포트 추기경, 서머싯 공작, 버킹검 공작, 보포 추기경, 다른 편에서 왕비(마가렛), 서포크 후작, 요크 공작, 소머셋 공작, 버킹엄 공작, 그리고 시종들 등장

서포크 폐하의 하명으로
제가 프랑스로 떠나면서 맡았던 책임은
폐하의 대리인으로서
마가렛 공주와의 결혼식을 마련하는 것이었습니다.
5 맡은 대로, 그 유명한 유서 깊은 도시 투르에서,
프랑스 왕과 시칠리아 왕,
오를레앙 공작, 칼라브리아 공작, 브레타뉴 공작, 그리고 알렝송 공작이
참석하시어 제가 임무를 다하여 혼례를 치렀사옵니다.
10 그리고 이제 경건하게 무릎 꿇어, [무릎을 꿇으며]
잉글랜드와 귀족들이 보는 앞에서,
왕비와 맺은 제 칭호를
너무도 인자하신 폐하의 두 손에
지금까지 후작이 드렸던 역사상 가장 행복한 선물인

지금까지 왕이 맞이했던 역사상 가장 아름다운 왕비를 15
제가 대신했던 그 위대한 심상의 실체인 두 손에 넘겨드립니다.

헨리 왕 서포크, 일어나시오. [서포크가 일어선다.]
—어서 오시오, 마가렛 왕비.
내가 표현할 수 있는 가장 자연스러운 사랑의 표식은
이 애정 어린 입맞춤밖에는 없을 것이오. [그녀에게 키스한다.]
—오, 제게 생명을 주신 주여,
감사로 가득 찬 마음도 주소서! 20
주님께서 제게 이처럼 아름다운 얼굴을 주셨으니
서로 사랑하는 마음이 두 사람의 생각을 하나로 합친다면,
제 영혼에 지상 축복의 세계를 내려주신 겁니다.

마가렛 왕비 잉글랜드의 대왕이시며, 저의 소중한 군주시여,
낮이나, 밤이나, 생시나 꿈속에서나, 25
궁중의 연회석에서나, 묵주기도를 할 때나,
제 마음 속에 폐하를 그리운 분으로 품어왔나이다.
이렇게 무례한 말로 폐하께 인사드리는 것을
용서하시옵소서.
그래도 저의 지혜와 넘쳐흐르는 30
가슴의 환희가 말씀을 드리는 것이니 헤아려 주시옵소서.

헨리 왕 왕비의 모습이 정말 황홀하지만, 우아한 말솜씨,
지혜의 위엄을 입은 왕비의 말은,
나를 경탄에서 눈물짓는 기쁨 속으로 빠지게 하는 구료.
내 가슴은 즐거움으로 가득 차 있소. 35

경들, 환호의 한 목소리로, 내 사랑을 맞아주시오.

경들 [무릎 꿇으며]

만수무강하소서. 마가렛 왕비, 잉글랜드의 행복이시여!

마가렛 왕비 모두에게 감사드리오.

화려한 취주

서포크 섭정이신 글로스터 공, 괜찮으시다면,

40 이것이 우리 군주와 프랑스 샤를 왕이

합의하여 체결한 18개월 간의

평화 조약에 관한 조항들입니다.

글로스터 [읽는다.] 제 1조, 프랑스 샤를 왕과 윌리엄 드 라 폴, 잉글랜드 헨리 왕의 대사인 서포크의 후작 사이에 맺은 조약에 따라 헨리

45 왕은 나폴리, 시칠리아, 그리고 예루살렘 세 나라의 왕인 레이니에의 딸인 마가렛 공주와 결혼하여 다가오는 5월 30일 이전에 그녀를 잉글랜드의 왕비로 즉위시킨다.

제 2조, 앙주 공작령과 메인 주를 해방시켜 공주의 부왕에게 인도한다.

50 [서류를 떨어뜨린다.]

헨리 왕 숙부, 왜 그러세요?

글로스터 용서하십시오, 폐하.

급작스런 통증이 제 가슴을 치고

눈을 흐리게 하여 더 이상 읽을 수가 없나이다.

55 **헨리 왕** 윈체스터 종조부, 그 다음을 읽어 주세요.

보포 추기경 [읽는다.] 제 2조, 나아가 이렇게 합의되었다. 둘 사이에 앙주 공작령과 메인 주를 해방시켜 공주의 부왕에게 인도할 것이며, 공주는 잉글랜드 왕 자신의 비용과 경비를 들여 지참금 없이 보낼 것이다.

헨리 왕 모두 좋소— 서포크 후작, 무릎을 꿇으시오. 60

[서포크가 무릎을 꿇는다]

짐은 이 자리에서 그대를 신임 서포크 공작으로 작위를 내리고

[서포크가 일어선다]

그대에게 이 검을 하사한다— 요크 공,
짐은 이 자리에서 18개월의 협정 기간이
온전히 종료될 때까지 그대의 프랑스 내 영국령
섭정직을 면해 주노라. 고맙소, 윈체스터 종조부, 65
글로스터 숙부, 요크 공, 버킹엄 공과, 소머셋 공,
설즈베리 백작, 그리고 워릭 백작.
짐은 이토록 크나큰 호의로
나의 군주다운 왕비를 맞아 준 것에 그대들 모두에게 감사하오.
자, 들어가십시다. 그리고 전속력으로 70
왕비의 대관식을 치를 수 있도록 채비합시다.

헨리 왕, 마가렛 왕비, 그리고 서포크 후작 퇴장.
글로스터 공작이 나머지 모두를 남게 한다.

글로스터 용감한 잉글랜드의 귀족들, 국가의 기둥들이여,
여러분께 이 험프리 공은 슬픔을 털어놓아야겠소.

여러분의 슬픔이며, 온 나라 공통의 슬픔을 말이오.
75 아! 나의 형님이신 헨리 5세께서 전쟁에서 자신의 청춘과,
용기, 돈, 그리고 백성을 쏟아 붓지 않았소?
겨울의 추위와 여름의 타는 더위 속에
그 정당한 유산인 프랑스를 정복하기 위해
얼마나 자주 광활한 벌판에서 지내지 않았소?
80 그리고 나의 형님 베드포드 공도 헨리 왕께서 얻은 영토를
정치력으로 지키기 위하여 머리를 짜내지 않았소?
경들 자신들도, 소머셋 공, 버킹검 공,
용감한 요크 공, 설즈베리 백작, 그리고 승리를 거둔 워릭 백작,
프랑스와 노르망디에서 중상을 입지 않았소?
85 또 보포 숙부와 나 자신도
왕국의 모든 학식 높은 추밀원 자문들과 함께
그토록 오래 연구하지 않았소, 추밀원에 앉아
어떻게 프랑스와 프랑스인들을 계속 복종시킬지
이른 아침부터 밤늦은 시간까지, 토의를 했고
90 그리고 어리신 폐하를
파리에서 적들을 무릅쓰고 등극시키지 않았소?
이 모든 수고와 명예들이 사라져야 한단 말이오?
선왕이신 헨리 왕의 정복이, 베드포드 공의 경계도
그대들의 무공이, 그리고 온갖 우리들의 협의가 사라진단 말이오?
95 오 잉글랜드 귀족들, 이 동맹은 치욕적이요,
이 결혼은 치명적이요, 경들의 명성을 말살하고,

경들의 이름을 기억의 장부에서 지워버리고,

경들의 명성의 기록을 지워버리고,

프랑스 정복의 기념비들 표면을 훼손시키고,

모든 것이 존재하지 않았다는 듯 파괴해버리는 것이 아니겠소? 100

보포 추기경 조카, 이러한 열변과,

사정을 일일이 늘어놓는 것이 무슨 의미가 있겠는가?

프랑스로 말하자면, 우리의 것이고 계속 지키면 될 것을.

글로스터 아, 숙부님, 그럴 수만 있다면 지켜야죠,

하지만 이제 지키는 게 불가능합니다. 105

과장된 칭호인, 신참 공작

서포크가 앙주 공작령과 메인 주를

자기 지갑의 빈약함과 어울리지 않는

보잘 것 없는 레이니어 왕에게 줘버렸으니까요.

설즈베리 만인을 위해 돌아가신 예수님의 죽음을 걸고 말하지만, 110

이 두 영토는 노르망디의 요충지였소.

그런데 용감한 내 아들, 워릭아, 왜 우는 것이냐?

워릭 그 두 영토를 회복할 수 없다는 슬픔 때문에 웁니다.

다시 정복할 희망이 있다면

제 칼이 뜨거운 피를 흘릴 일이지, 제 눈이 눈물 흘릴 일은 아니죠. 115

앙주와 메인! 제가 그 두 영토를 정복했습니다.

그 두 지방을 제 이 두 팔이 정복했단 말입니다.

제가 부상까지 입으며 얻은 도시들을

평화의 언사로 다시 돌려줘야 하다니요?

120 모르디유![1]

요크 서포크 공, 숨통을 조여야겠다,[2]

이 호전적인 섬나라의 명예를 흐려놓다니!

내가 이 동맹에 순순히 응할 바엔

프랑스가 내 심장 자체를 갈기갈기 찢어버리라지.

125 내가 읽은 바로는 항상 잉글랜드 왕들이

아내와 함께 많은 액수의 금화와 혼인 지참금을 받았소,

그런데 헨리 왕께서는 자기 비용을 써가며

지참금도 없이 오는 여자와 결혼을 하다니.

글로스터 정말 말도 안 되는 웃기는 일이지, 들어 본 적도 없고,

130 저 여자를 데려 오는 비용과 경비로

서포크가 15분의 1조세 전액을 요구하다니!

저 여자는 프랑스에 남겨 놓고 그곳에서 굶게 해야 하는 건데

그 전에 —

보포 추기경 글로스터 경, 그렇게까지 화를 내다니,

135 우리 국왕의 뜻으로 이루어진 일이거늘.

글로스터 윈체스터 경, 경의 속마음을 알지요.

경이 언짢아하시는 것은 내 말이 아니라,

내 존재 자체가 눈에 가시인 거지요.

증오는 드러나기 마련이죠. 오만한 추기경, 당신 얼굴에

140 분노가 드러나 있소. 내가 더 머문다면

---

1. 프랑스 놈들 선서대로, 하나님의 죽음을 걸고!

2. 일종의 말장난으로 Suffolk라는 이름과 '질식시키다 suffocate'란 단어와 연관시킴

지난날의 말다툼이 다시 벌어지게 될 터 —
경들, 잘 지내시고, 내가 가면 말씀들 나누시오,
머지않아 프랑스를 잃을 것이라고 내가 예언했잖소. 퇴장

보포 추기경 우리 섭정공이 격분하며 가시는군.
경들은 그가 나의 적이라는 것을 아시죠, 145
허나, 나뿐만 아니라 경들 모두의 적이기도 하오,
그리고 대단한 친구가 아녜요, 우려컨대, 왕에게도 말이지.
생각해 보시오, 경들, 그는 왕족 서열 1위고,
왕위 예상 후계자 아닙니까.
헨리 왕이 결혼으로 한 제국을 손에 넣고 150
서쪽의 온갖 부유한 왕국들[3]까지 모두 차지한다면
글로스터 공이 이를 언짢아할 이유가 있는 거지요.
경들, 조심하시오, 저자의 아첨 떠는 말에 마음을
홀려서는 안 돼요. 현명하고 신중하셔야죠.
비록 평민들은 그를 총애하여 155
'험프리님, 훌륭하신 글로스터 공작'이라 부르고,
박수를 치고 큰 소리로 부르짖으며
'주께서 저하를 지켜 주시기를!' 하고
'하느님, 험프리 공작을 지켜 주소서!' 하지만
경들, 아무래도 나는 걱정이 되오, 이 모든 것이 겉치레일 뿐 160
글로스터 공이 위험한 인물임이 드러나게 될 거요.

버킹엄 그런 자가 왜 우리 폐하를 보호하겠다는 거요?

3. 스페인과 포르투갈을 지칭

폐하께서 스스로 다스릴 나이가 되셨는데도?
소머셋 경, 나와 함께 합시다,
165 서포크 공과 다 함께 힘을 모아
험프리 공을 섭정 자리에서 하루 빨리 쫓아내기로 하십시다.

보포 추기경 이런 중대지사를 지체할 수 없소.
내 당장 서포크 공에게 가리다. 퇴장

소머셋 버킹엄 공, 험프리의 오만과
170 높은 위치가 우리에게 피해가 되겠지만,
저 거만한 추기경도 잘 살펴야 하오,
그 자의 오만방자함은 더 견디기가 힘드니
왕국 내 그 밖의 군주들 모두를 합친 것보다 심하오.
글로스터가 물러나면, 추기경이 섭정에 오를 거요.

175 **버킹엄** 소머셋 공, 섭정 직은 험프리 공이나 추기경한테
맡길 게 아니라, 그대 아니면 내가 되어야지.

버킹검과 소머셋 퇴장

설즈베리 오만이 앞서 가고, 야욕이 그 뒤를 따른다더니.
저자들은 자기들 직위 상승을 위해 힘쓰라 놔두고
우리는 나라를 위해 수고하는 게 좋겠소.
180 내가 볼 때 언제나 글로스터 공작 험프리는
고결한 신사처럼 행동하더군.
그런데 거만한 추기경은 종종,
성직자라기보다는 무슨 군인 같아요,

마치 자기가 만인의 주인이라는 듯 오만불손하며,
불량배처럼 욕설을 하고, 행동거지가 영 185
나라를 다스리는 사람 같지가 않단 말이야―
내 아들, 내 노후의 위안인 워릭,
너는 지금까지의 공적, 정직함 그리고 친절한 성품으로
민중들의 가장 크나 큰 총애를 얻었다,
훌륭한 험프리 공 말고는 가장 크지― 190
그리고, 매제 요크 공, 아일랜드에서 그대가 해낸,
폭동진압의 공훈과,
그대가 국왕을 대리한 섭정이었을 때
최근 프랑스에서 이룬 업적은
백성들의 경외와 칭송을 받았소. 195
우리 셋이 나라의 번영을 위해 힘을 합쳐서
할 수 있는 걸 하는 거야, 고삐 당기고 억눌러야지
서포크와 추기경의 오만을
그리고 소머셋과 버킹엄의 야욕을,
되도록, 험프리 공 일이 국가의 이익이 되는 한, 200
우리는 그에게 힘을 보태야 할 것이요.

워릭 신이시여, 워릭을 도와주소서, 그는 나라를 사랑하고,
나라의 이익을 도모하는 자입니다!

요크 요크의 기도도 그렇소, [방백] 그럴만한 최대 이유가 있으니까.

설즈베리 그렇다면 어서 가자, 중요한 걸 놓치면 안 돼지. 205

워릭 중요한 것이라! 오, 아버지, 메인령은 사라졌어요,

주력군을 동원하여 워릭이 점령하였고,
목숨이 붙어 있는 한 지키려 했던 그 소중한 영토를!
아버지께서 중요한 문제라 하셨는데 전 메인령을 말하는 겁니다.
210 그걸 프랑스로부터 다시 찾아오든지, 죽든지 둘 중 하납니다.

워릭과 설즈베리 퇴장. 요크는 남는다.

요크 앙주와 메인은 프랑스한테 내주었고,
파리는 잃고, 노르망디 공국도
불안한 상태라, 이제 다 잃어버리는구나.
서포크가 합의 사항을 결정했고,
215 귀족들이 찬성했고, 헨리 왕은 아주 흡족하여
두 공작령을 한 공작의 아름다운 딸과 바꾸는군.
그들을 비난할 수는 없지—그들과는 관계도 없지 않은가?
그들이 줘 버린 것은 그들 것이 아니라 내 것이잖은가.
해적들은 약탈품을 헐값에 팔아넘기고,
220 친구들을 매수해, 창녀한테 갖다 바치고,
계속 군주처럼 먹고 마시고 다 써 버려도 그만이지,
반면 재물을 가진 자는 딱하게도
울어대면서 자신의 불운한 손목을 비틀고,
머리를 흔들며 홀로 떨어져서 몸을 떠는데
225 모든 재물이 분배되고 실려 가는 동안,
굶어 죽을 작정일 뿐, 자기 재물을 만져 볼 엄두도 못 낸다.
이 요크도 내 땅이 거래되고 팔려나가는 것을

앉아서 안달을 하며 제 혀를 깨무는 거지,
내 생각에 잉글랜드, 프랑스, 그리고 아일랜드 영토가
내 살과 피와 맺고 있는 관계는 230
알타이아가 태워 버린 그 치명적인 타다 만 통나무와
훗날 그것이 다 타자 멈춰 버린 칼리돈 왕자 심장의 관계와도 같다.
앙주와 메인을 둘 다 프랑스한테 내주다니!
내게는 냉혹한 소식이다, 난 비옥한 잉글랜드 땅은 물론이고
프랑스를 가질 가망이 있었거늘, 235
요크도 자기 것을 요구하게 될 날이 언젠가는 올 것이다,
그러니 네빌 가문 편을 들어,
오만한 험프리 공에게 호감을 보여주고
그리고 기회가 보일 때, 왕관을 요구해야지.
내가 얻고자 하는 왕관을 말이야. 240
오만한 랑카스터도 내 권리를 찬탈하면 안 되지.
왕 홀을 어린애 같은 제 주먹에 쥐게 해서도 안 되고,
왕관을 그 자의 머리에 쓰고 해서도 안 되고 말이지,
그의 성직자 같은 기질은 왕관이 격에 맞지 않거든.
그렇다면, 요크, 그러한 때가 올 때까지 잠자코 있으라. 245
깨어 있으라, 그리고 남들이 잘 때 일어나
국가 기밀 속을 파고드는 거야.
그러다 보면 헨리가, 새 신부인 비싸게 사들인 잉글랜드 왕비와의
사랑놀이에 식상해질 때
그리고 험프리는 귀족들과 알력이 심할 때 250

그때 나는 우윳빛 백장미를 높이 들어 올려
백장미의 달콤한 향기를 공중에 가득 채우고,
요크의 문장을 내 군기에 달고
랑카스터 가문과 한판 겨룰 것이야.
255 그리고 마구 휘몰아쳐 강제로 왕이 왕관을 내놓게 만들 테다,
종교 책에나 열중하면서 한 통치가 당당한 잉글랜드를 끌어내렸으니.

퇴장

2장

글로스터 공작의 저택

글로스터 공작 험프리와 부인 엘리노어 등장

공작부인 왜 그리 축 쳐지셨소 여보, 너무 익어버린 곡식 낟알이
곡물의 여신 세레스의 풍요로운 수확 때 머리를 숙이듯이 말이오?
왜 위대한 험프리 공작께서 세상의 총애가 불쾌하다는 듯이
이맛살을 찌푸리시는 거죠?
왜 당신 두 눈까지 음울한 땅바닥만을 바라보고 있는 건가요. 5
그렇게 보다가는 당신 눈도 흐릿해지실 텐데요?
거기 뭐가 보이는데요? 세상의 온갖 명예로 치장된
헨리 왕의 왕관이오?
그렇다면, 계속 뚫어져라 보시고, 넙죽 엎드리세요,
당신 머리를 그 왕관이 둘러쌀 때까지 10
손을 내밀어, 그 영광스러운 황금 관을 잡으셔야죠.
뭐라, 너무 짧다고요? 제 손을 펼쳐 드리지요,
그리고 둘이 함께 그것을 들어 올린 다음,
우리 둘이 하늘을 쳐다보는 거예요,
그리고 다시는 우리가 눈을 내리깔고 15
땅바닥을 힐끗 내려다보는 일은 없도록 합시다.

글로스터 오 넬,[4] 사랑하는 넬, 당신 남편을 사랑한다면,
야심에 젖은 더러운 생각을 쫓아 버려요.
내가 언제든 왕이자 조카, 덕망 높은 헨리 왕에게
20 나쁜 생각을 품게 된다면
그것은 이 필멸의 세상에서 숨을 거둘 때이기를!
어젯밤 꾼 불안한 꿈 때문에 마음이 좀 언짢소.

공작부인 무슨 꿈을 꾸셨는데요? 말해 보세요, 그러면 제가
오늘 아침에 꾼 달콤한 꿈 얘기로 보상해드리겠어요.[5]

25 **글로스터** 궁정에서 내 직함을 나타내는 이 지팡이가
둘로 부러졌지, 누가 그랬는지는 잊어버렸소,
하지만, 아마도, 추기경이었던 것 같아.
부러진 지팡이 위에
소머셋 공 에드먼드와
30 그리고 윌리엄 드 라 폴, 서포크 신임 공작의 머리통이 꽂혀 있었소.
이게 내가 꾼 꿈이었소, 무슨 조짐인지는 신만이 아시겠지.

공작부인 쯧, 뭐긴 뭐겠어요.
글로스터의 숲에서 나뭇가지를 꺾는 자는
주제넘은 짓으로 목이 부러진다는 증거겠지요.
35 하지만 내 말 잘 들어봐요, 나의 험프리, 사랑스러운 공작.
내가 웨스트민스터 성당에 있는,
장엄한 의자에 앉았던 것 같아요

---

4. 엘리노어의 애칭

5. 아침에 꾼 꿈은 사실과 일치하는 꿈이라 일컬어짐.

왕과 왕비들이 대관식을 치르는 그 옥좌에 말이오.
거기서 헨리 왕과 마가렛 왕비가 내게 무릎을 꿇고,
내 머리 위에 왕관을 씌워주더군요. 40

글로스터 아니, 엘리노어, 그렇다면 내 당장 당신을 꾸짖어야겠소.
주제넘은 여인이로다! 형편없이 자란 엘리노어!
당신은 왕국에서 왕비 다음의 지위를 가진 여인이자,
이 섭정이 사랑하는 아내가 아니오?
당신이 누리고 있는 세속적 즐거움은 45
상상하는 것 이상이지 않소?
그런데도 당신은 여전히 반역을 꾀해
남편뿐 아니라 당신 자신까지도 명예의 정상에서 치욕의 발밑으로
곤두박질시키려 하는 거요?
물러가시오. 그리고 더 이상 듣고 싶지 않소! 50

공작부인 뭐, 뭐라구요. 당신? 엘리노어한테 그리도 화를 내십니까,
저는 꿈 얘기를 한 것뿐인데요?
이제부터는 내 꿈을 꿔도 나 혼자 간직하겠소.
괜히 야단맞을 거 없이.

글로스터 아니, 화내지 마오, 난 다시 마음이 풀렸소. 55

사자 등장

사자 섭정 공 저하, 폐하께 분부하시는 바
말을 채비시켜 세인트 앨번스로 오시랍니다.
거기서 왕과 왕비께서 매 사냥을 하신답니다.

글로스터 가겠다. 넬, 당신도 같이 말을 타시겠소?

60 **공작부인** 그러죠, 여보, 곧 뒤쫓아 가겠어요.

[글로스터와 사자 퇴장]

글로스터가 저렇게 비굴하고 변변찮게 구는 한

뒤따라야지, 내가 앞서갈 수는 없지.

내가 사내라면, 공작이고, 혈통 서열 2위라면.

이런 귀찮은 장애물들을 제거해 버리고

65 머리가 없는 그자들의 목 위에 내 길을 틀 것이니

여자지만 난 꾸물대지 않을 거야

운명의 여신이 이끄는 화려한 쇼에서 내 역할을 해야지—

거기 계세요? 존 신부!

흄 등장

아니, 걱정 말아요,

우리뿐이에요. 여기에 당신과 나 말고는 아무도 없어요.

70 **흄** 주께서 왕비 마마를 지켜 주시기를!

공작부인 무슨 소리에요? 왕비 마마라니요! 난 '공작부인'일 뿐인데.

흄 하지만 신의 은총과 흄의 조언으로

공작부인의 칭호는 더욱 위대해지실 겁니다.

공작부인 그래 어찌되었소, 신부?

75 마녀 마저리 조던과 주술사 로저 볼링브루크를

벌써 만나 이야기해 본 거요?

그들이 나를 도와주겠답디까?

흄 그들이 마마께 보여드리겠다고 약속한 내용은 이렇습니다.
땅 속 깊은 곳에서 정령을 불러내어
마마께서 물으시는 질문들에 80
답변을 다해드릴 것이다.

공작부인 그만하면 충분해요. 내 질문을 생각해 보지.
세인트 앨번스에서 돌아왔을 때
어디 솜씨를 충분히 보아야겠다.
흄, 여기 보답이오. 이 중대사에 함께한 당신 공모자들과 85
흥겹게 즐겨요. 퇴장

흄 공작부인 금화로 흥겹게 즐겨야지.
물론이지, 그래야하고. 하지만, 이제 어쩐다. 존 흄은!
입을 다물고 아무 말도 않고 침묵을 지키는 거야,
이 일은 말 없는 비밀을 원하거든. 90
엘리노어 부인이 마녀를 불러 오라고 금화를 줬겠다,
그녀가 악마란들 금화는 틀림없이 들어오게 되는 거지.
하지만 난 다른 방면에서도 들어오는 금화가 또 있지.
감히 내 입으론 말 못하지. 저 돈 많은 추기경과
그 위대한 신임 공작 서포크한테서 나온다고. 95
하지만 그렇게 되어 있단 말이지. 까놓고 말해서,
그들 두 사람이, 엘리노어 부인의 치솟는 야욕 기질을 알고.
공작부인을 파멸시키기 위해 나를 고용했거든,
이 주문을 그녀의 귀에 속삭여 주라고 말이지.
'솜씨 좋은 놈은 중개인이 필요 없다'지만 100

나는 서포크와 추기경의 중개인이란 말이지.
흄, 조심하지 않으면 자칫
그 두 사람을 한 쌍의 솜씨 좋은 놈이라 부를 수도 있지 않은가.
어쨌든, 그런 상황이다, 이렇게 간다면, 결국
105 흄의 악행으로 공작부인은 파멸하고,
공작부인의 불명예스러운 행동으로 험프리 공도 몰락할 것이다.
일이 어찌되든, 난 모두한테서 금화를 받겠지.

퇴장

3장

런던 왕궁

두세 명의 청원자들과 병기공 도제 피터가 함께 등장

첫 번째 청원자 선생들, 여기 모여 기다립시다. 섭정 공 나리께서 이리로 천천히 오실 테니 그 때 우리가 탄원서를 집단으로 올릴 수 있겠죠.

두 번째 청원자 물론, 주께서 그를 보호해 주시기를, 훌륭하신 분이니까요. 신의 축복을 내려주소서.

서포크 공작과 마가렛 왕비 등장

첫 번째 청원자 저기 왕비님과 함께 오시는 것 같소, 물론, 내가 제일 먼저 뵐 거지. 5

두 번째 청원자 돌아와, 멍청아! 이 분은 서포크 공작이지 우리 섭정 공 나리가 아냐

서포크 무슨 일인가, 자네 내게 볼 일이 있는가?

첫 번째 청원자 부디, 나리, 용서하십시오, 공작님이 우리 섭정 공 나린 줄 알았습니다. 10

마가렛 왕비 '섭정 공 나리께'? 그분께 드리는 네 청원이냐? 내가 좀 보자꾸나.

[그녀가 첫 번째 청원서를 잡아챈다] 무슨 내용이냐?

15 **첫 번째 청원자** 제 청원은, 괜찮으시다면, 존 굿맨이라는 추기경의 부하를 고발하는 내용입니다, 제 집과 땅과 마누라와 모든 것을 빼앗아 갔으니까요.

서포크 네 아내까지? 그건 정말 잘못했구먼—
네 청원은 무엇이냐? 이게 뭐지? [읽는다] '서포크 공작을 고발한
20 다, 멜포드 공유지에 울타리를 둘러친 것에 대해 고발! 이게 뭐냐, 이 나쁜 놈!

두 번째 청원자 아아, 나리, 소인은 이곳을 대표하는 불쌍한 청원자일 뿐입니다.

피터 [자신의 청원서를 내밀며] 제 주인, 토마스 호너를 고발합니다, 요크
25 공작이 정당한 왕위 계승자라고 했습니다.

마가렛 왕비 그게 무슨 말이냐? 요크 공작이 자기가 정당한 왕위 계승자라고 말했다고?

피터 제 주인이 왕위 계승자요? 아니요, 그럴 리가, 제 주인은 요크 공작이 왕위 계승자이고 지금의 왕이 찬탈자라고 말했습니다.

30 **마가렛 왕비** 찬탈자라고 말했겠다.

피터 예, 정말입니다, 찬탈자라고 말했습니다.

서포크 거기 누구 있느냐? [피터의 탄원서를 낚아챈다.]

하인 등장

이 자를 끌어내가고 즉시 경관을 보내
이 자의 주인을 데려오너라.
35 왕 앞에서 네 청원에 대해 더 들어 볼 것이다.

하인, 병기공 도제 피터를 데리고 퇴장

마가렛 왕비 섭정의 날개 하에

보호받기를 좋아하는 너희들은,

내용을 새로 적어 섭정께 청원하거라.

[청원서들을 찢는다.]

물러가라, 천한 것들! 서포크, 저들을 쫓아내세요.

모든 청원자들 가요, 갑시다. 퇴장 40

마가렛 왕비 서포크 경, 말해 봐요, 이게 관행인가요?

이것이 잉글랜드 궁정의 풍습인가요?

이것이 브리튼 섬의 정치고,

알비온 왕의 위엄인가요?

아니면, 헨리 왕이 여전히 심술궂은 글로스터 밑에서 45

지시를 받는 학생 노릇을 하는 건가요?

내가 칭호와 모양만 왕비고

일개 공작의 신하가 되어야 한단 말인가요?

실은, 폴, 당신이 뚜르 시에서

내 사랑의 명예를 걸고 마상 창 시합에 참가하여 50

프랑스 숙녀들의 마음을 사로잡았을 때,

나는 헨리 왕도 용기와, 궁중예절, 체격이

당신을 닮았을 거라 생각했어요.

하지만 왕의 마음은 온통 거룩함에 쏠려 있죠,

묵주를 돌리며 아베마리아를 부르며 기도하고 55

그 분의 용사는 예언자와 사도들이며,
그 분의 무기는 성경의 거룩한 말씀이고,
그 분의 서재가 마상 창 시합 경기장이고, 그 분의 연인은
시성된 성인들의 청동상들이죠.
60 추기경 회의에서 그분을 교황으로 선출하여
로마로 데리고 가셨으면 좋겠어요,
그리고 교황의 왕관을 그분의 머리에 씌어 주면 좋겠어요.
그게 그분의 거룩함에 어울리니까요.

서포크 왕비 마마, 진정하소서. 저 때문에
65 마마께서 잉글랜드로 오셨으니, 제가
잉글랜드에서 마마를 온전히 만족시켜 드리리다.

마가렛 왕비 교만한 섭정 말고도 또 있잖아요. 보포라는
그 오만한 성직자, 소머셋, 버킹엄,
그리고 투덜대는 요크까지, 이 중 가장 미약한 자조차
70 잉글랜드에서 왕보다 더 권세를 부리고 있으니까요.

서포크 그 중 가장 능력 있는 자라도
잉글랜드에서 네빌 가문 만큼은 못 되지요.
설즈베리와 워릭은 만만한 귀족이 아닙니다.

마가렛 왕비 이 모든 귀족들 중에서 저 거만한 섭정 공의 부인만큼
75 화나게 하는 자는 없어요.
그 여자는 험프리 공작 아내라기보다는 여황제처럼
귀부인들을 거느리고 궁정을 휩쓸고 다녀요.
궁정에 처음 온 사람은 정말 그 여자를 왕비로 안다고요.

공작의 재산을 등에 지고 다니며
마음속으로는 우리의 궁색함을 비웃죠. 80
살아생전에 그 여자한테 복수할 방법이 없을까요?
야비하고 비천한 출신 주제에,
일전에 자기를 따라다니는 추종자들한테 허풍을 떨더라고요.
자기가 입는 가장 값싼 드레스만 모아도
왕비 아버지의 땅 전체보다 더 값이 나가며 85
서포크가 딸을 교환 조건으로 공작령 두 개를 준 거라고 말예요.

서포크 마마, 이 몸이 그 여자를 잡을 끈끈이를 숲 속 나무에 발라 놓고,
아주 매혹적인 소리를 내는 새들도 매어 놓았으니
그 여자가 내려와 새들의 노래에 귀를 기울 것이고,
다시 날아올라 마마를 괴롭히지는 못할 겁니다. 90
그러니 그 여자 일은 놔두시고 제 말을 잘 들으세요.
제가 감히 이 문제에 조언을 드릴 것이니.
추기경이 못마땅하기는 하지만,
그래도 험프리 공에게 치욕을 줄 때까지는
우리가 추기경뿐만 아니라 다른 귀족들과도 힘을 합쳐야 해요. 95
요크 공작에 대해서는, 아까 청원서도 있고 하니
유리하지 못할 겁입니다.
그렇게 하나씩 방해꾼인 잡초들을 뽑아내면 결국은
왕비 마마가 행운을 잡게 될 겁니다.

나팔 소리. 헨리 왕, 글로스터 공작 험프리, 보포 추기경, 버킹엄 공작, 요크 공작, 솔즈베리 및 워릭 백작, 글로스터 공작부인 엘리노어 등장

100 **헨리 왕** 고귀한 경들, 나는 아무래도 좋소.

소머셋이든, 요크든, 모두 내게는 마찬가지요.

요크 요크가 프랑스에서 잘못 행동한 것이라면

그렇다면 섭정 직위를 내리지 마소서.

소머셋 소머셋이 그 자리에 오를 자격이 없다면

105 요크를 섭정으로 임명해 주십시오. 제가 양보하겠나이다.

워릭 공작께서 그 자리에 자격이 있든, 그렇지 않든,

그건 논하지 마시오. 요크가 더 적임자이니까요.

보포 추기경 무엄하오. 워릭, 윗사람들 말에 참견을 하다니.

워릭 전장에서는 추기경도 내 윗사람이 아니오.

110 **버킹엄** 지금 계신 분들 모두 당신보다 위이오, 워릭.

워릭 워릭이 장차 그 누구보다도 위에 오를 것이오.

솔즈베리 그만하고, 아들아!—이유를 말해 보시오. 버킹엄,

왜 소머셋을 이 일에 추천하시는지 말이오.

마가렛 왕비 이유는 폐하께서 그리하고자 하시니까요.

115 **글로스터** 왕비 마마, 폐하께서는 충분히 장성하시어

직접 의견을 말하실 수 있습니다. 아녀자가 나설 일이 아니죠.

마가렛 왕비 폐하께서 장성하시다면, 왜 공작께서 굳이

섭정직을 맡고 계십니까?

글로스터 마마, 저는 이 나라의 섭정이고,

120 폐하께서 원하시면 언제든지 사임할 것입니다.

서포크 그럼 사임하시오, 오만한 짓 그만두시고.

공께서 왕이 되신 후—당신 말고 누가 왕이오?—

그 때부터 왕국은 나날이 피폐해지고 있소,
바다 너머 프랑스 황태자는 승리를 거두었고,
왕국의 모든 귀족들이 125
당신의 통치권에 노예 신세가 됐단 말이오.

보포 추기경 평민들에게 세금을 과하게 요구하고, 성직자들 지갑은
공의 부당한 강탈로 홀쭉하고 얇아졌지.

소머셋 공의 호화스러운 저택과 부인의 의상 때문에
국고를 얼마나 낭비했는지. 130

버킹엄 공은 법을 집행하는데도 법 이상으로
가혹하게 범법자를 처단하였으니
이제 공이 법의 자비를 빌어야 할 처지요.

마가렛 왕비 공이 프랑스의 관직과 도시들을 팔아먹었다고 하는데
그 사실이 알려진다면, 죄가 중대하니, 135
즉각 당신을 머리 없이 펄쩍펄쩍 뛰게 만들 것이오. 글로스터 퇴장
[왕비가 부채를 떨어뜨린다.]
내 부채 좀 집어 다오. 뭐야, 이년, 못하겠느냐?
[왕비가 공작부인의 뺨을 때린다.]
이를 어째, 공작부인! 부인이셨나요?

공작부인 나였냐고요? 예, 나였습니다, 오만한 프랑스 여인!
저 어여쁜 얼굴에 내 손톱을 가까이 댈 수만 있다면 140
나의 십계명을 저 얼굴에 새겨 놓겠어.

헨리 왕 숙모님, 참으세요, 모르고 그런 것입니다.

공작부인 모르고 그랬다고요! 폐하, 이제 곧 보시겠지요.

저 여인이 폐하를 아기처럼 어르고 안고 그럴 겁니다.
145 이 궁정에서는 바지를 입지 않은 저 여자가 주인처럼
마음대로 하겠지만
공작부인 엘리노어의 뺨을 치고 무사하지는 못하리라! 퇴장

버킹엄 추기경, 내 공작부인을 따라가
험프리가 어찌하는지 알아보리다.
150 부인이 바싹 약이 올랐으니, 부인의 분노에 더 이상 박차를 가할 필요는 없소,
자신의 파멸을 향해 충분히 질주해 갈 테니까요. 퇴장

글로스터 등장

글로스터 자, 경들, 궁정 안뜰을 한 바퀴 도니
내 화가 가라앉았소,
155 국사를 논의하러 다시 왔소.
그대들의 악의에 찬 중상모략에 대해서
입증한다면, 내 법의 심판을 받겠소.
그러나 하느님, 폐하와 조국을 위해 충성을 다하는
제 영혼을 자비로이 받아 주소서.
160 하지만 현안을 얘기합시다—
폐하께 아뢰옵니다만, 요크 공이 프랑스령 섭정으로
가장 적합하다는 생각되옵니다.

서포크 선출하기에 앞서 허락해 주신다면
요크 공이 가장 적합하지 않다는 이유를

그것도 중대한 이유를 말씀드리겠나이다. 165

요크 서포크, 왜 내가 적당치 않는지를 먼저 말해주지.

첫째, 내가 교만한 당신에게 아첨을 떨지 않기 때문이고,

다음은, 내가 그 자리에 임명되면,

소머셋 경이 급료도 장비도 지급하지 않고,

나를 여기 묶어 둘 것이기 때문이고 170

프랑스가 도핀의 수중에 들어갈 때까지 말이지.

저번에도 내가 소머셋 공의 허락을 학수고대하다가

급기야 파리가 포위당하고, 군사는 굶주리다가 항복했거든.

워릭 그건 내가 증언할 수 있소, 그보다 더 추잡한 행위를

저지른 반역자는 이 나라에 없었소. 175

서포크 입 닥쳐, 고집불통 워릭!

워릭 오만함의 표상아, 왜 내가 입을 닥쳐야 하는가?

감시를 받으며 병기공 호너와 그의 도제 피터 등장

서포크 여기 반역죄로 고발된 자가 있으니까,

부디 요크 공작은 결백을 증명해 달라고 기도나 하시지!

요크 누가 요크를 반역자로 고발했다는 말인가? 180

헨리 왕 서포크, 그게 무슨 말이오? 말해 보시오, 이자들은 누구요?

서포크 황공하오나, 바로 이 자가

자기 주인을 대역죄로 고발하였나이다.

이자 주인이 한 말은 이렇사옵니다. "요크 공작 리처드가

정당한 잉글랜드 왕관 계승자이고, 185

폐하께서는 찬탈자이셨다."

헨리 왕 이놈, 네가 그리 말했느냐?

호너 황공하오나, 그런 얘기는 한 적도 생각도 한 적이 없습니다. 하느님이 제 증인이십니다. 저 악당한테 제가 무고하게 고발당한 것입니다.

190 **피터** 이 열 손가락을 걸고, 폐하, 이 사람이 정말 그 말을 제게 했습니다. 어느 날 밤 다락방에서 저희가 요크 나리의 갑옷을 닦고 있을 때요.

요크 이런 비천한 더러운 악당아, 직공인 주제에
그런 반역의 말을 뱉다니 내 네 목을 베어버리겠다! —
195 폐하께 청하옵니다.
저자에게 엄중한 처벌을 하게 하소서.

호너 아아, 나리. 제가 그 말을 했다면 제 목을 매십시오. 저를 고소한 놈은 제 도제구요. 일전에 잘못을 하여 혼을 내 주었더니, 앙갚음을 하겠다고 무릎을 꿇고 맹세를 했어요. 확실한 증인도 있습니다.
200 그러니 청컨대 폐하, 이런 악당의 고발로 죄 없는 소인을 죽이지 말아주십시오.

헨리 왕 숙부, 짐이 어떻게 해야 법에 맞습니까?

글로스터 폐하, 제가 판사라면 이렇게 판결하겠습니다.
이 일이 요크 공의 혐의를 불러일으키고 있으니
205 소머셋을 프랑스 섭정으로 임명하십시오.
그리고 이 둘에게는 날을 정하여
적당한 곳에서 결투를 하게 하소서,
이자가 자기 도제가 악의를 품고 있는 것을 아는 증인이 있음입니다.

이것이 법이며, 이 험프리 공의 판결입니다.

헨리 왕 그렇담 그리하오. 소머셋 경, 205

짐은 그대를 프랑스 영토 섭정으로 임명하니

그곳에서 외국인 적에 맞서 짐의 권리를 지키도록 하라.

소머셋 머리 숙여 폐하께 감사를 표하나이다.

호너 저는 기꺼이 결투를 받아들이겠습니다.

피터 아아, 나리, 전 싸움 못해요. 제발, 저 좀 봐주십시오! 앙심을 품 210

은 저자가 저를 해치려고 하나 봅니다. 오 주여, 제게 자비를 베

푸소서! 난 한 방도 치지 못할 거요! 오 나리, 제발!

글로스터 이놈, 싸우기 싫으면 교수형을 당해야 한다.

헨리 왕 이들을 옥에 가두라, 그리고 결투 날짜는

다음 달 말일로 정한다. 215

가십시다, 소머셋. 배웅해 드릴 테니.

화려한 취주, 모두 퇴장.

4장

글로스터 공작저택의 정원

마녀 마저리 조던, 두 사제 존 흄 경과 서들,
그리고 주술사 로저 볼링브로크 등장

흄 자자, 여러분! 공작부인께서, 정말, 당신들이 약속한대로
실행하기를 기대하고 계십니다.

볼링브로크 흄 신부, 우리는 준비가 다 되었소. 공작부인께서는
우리가 정령을 불러내는 것을 보고 들으시겠다는 겁니까?

5 **흄** 그럼요, 부인은 담력이 있으셔서 걱정하지 않아도 됩니다.

볼링브로크 강경한 정신력을 갖춘 여성이라는 소리는 들었소.
하지만 이렇게 하는 게 좋겠소. 우리가 아래서 일을 벌일 테니
당신이 위에서 그분 곁에 계시오, 우리는 아래서 일을 벌일 테니,
그러니 부디 들어가시고 우리들만 있겠어요. 흄 퇴장

10 조던 어멈, 땅 바닥에 넙죽 엎드리시게,[6]
존 서들, 당신이 주문을 읽고 우리가 시작해 보십시다.

공작부인이 위에서 등장, 흄이 뒤따른다.

공작부인 여러분, 수고가 많아요, 모두 잘 오셨어요. 이런 일은

---

6. 지하의 악령에게 말을 걸기 위해 하는 행동임

빨리 해치울수록 좋은 법이니까.

볼링브로크 참으십시오, 마님, 마법사는 자기 때를 알지요.

깊은 밤, 깜깜한 밤, 고요한 밤, 15

트로이가 불에 휩싸이던, 밤 시각이나

부엉이 비명 지르고 사슬 경비견들이 사납게 짖는 밤 시각이나

정령들이 걸어 다니고, 유령들이 그들 무덤을 헤치고 나오는

그 시간이 우리가 하는 일에 가장 좋습니다.

마님, 앉아 계시고, 두려워 마소서. 우리가 불러내는 20

정령은 마법의 원 안에 단단히 잡아 둘 것입니다.

정령을 부르는 제의 시작, 그리고 원을 그린다. 볼링브로크 또는 서들이 '나오너라 유령'하는 주문을 외고, 무서운 천둥과 번개가 치고 정령이 땅에서 올라온다.

정령 여기 왔노라.

조던 애스너스,

네가 이름만 듣고도 권능에 벌벌 떠는

영원한 신의 이름을 걸고 내가 묻는 것에 대답하라. 25

네가 답하지 않으면, 이곳을 벗어나지 못할 것이로다.

애스너스 무엇이든 물어라, 빨리 답하고 끝내도록.

볼링브로크 [읽는다]

'첫째, 왕에 대하여: 왕은 앞으로 어떻게 되는가?'

애스너스 헨리가 폐위시킬 공작이 아직 살아 있다.

그러나 그보다 오래 살 것이고 갑작스러운 죽음을 맞이할 것이다.'[7] 30

정령이 말하면, 서들이 그 답을 적는다.

볼링브로크 '말하라, 어떤 운명이 서포크 공작을 기다리는가.'

애스너스 물에서 죽을 것이고, 그것이 최후다.

볼링브로크 '소머셋 공작의 앞날은?'

애스너스 성을 피해야지. 높이 솟은 성곽보다는

35 모래 평원이, 더 안전할 것이다.

이제 그만하자, 내가 더 이상은 견딜 수 없노라.

볼링브로크 어둠과 불타는 호수 속으로 내려가라!

못된 악령아, 꺼져라!

천둥과 번개. 유령이 사라진다.
요크 공작 및 버킹엄 공작이 호위병인 험프리 스태포드 경과 함께 가택 침입하여 등장

요크 이 반역자들을 체포하고 쓰레기들을 압수하라!

40 마녀야, 우리가 널 제대로 감시했구나.

아니, 공작부인, 거기 계십니까? 국왕과 국가가

크나큰 신세를 졌군요. 부인께서 이리 수고를 해 주시니.

섭정께서, 이 훌륭한 일에

분명 보답이 있으시겠지요,

45 **공작부인** 그대가 잉글랜드 국왕께 끼친 해악의 반도 되지 않소,

무례한 공작, 증거도 없이 협박을 하다니.

---

7. 모호한 답으로 이중적 해석을 가능케 함.

버킹엄 그럼요, 부인, 아무 증거도 없겠다. [그가 글이 적힌 쪽지를 본다.]

이게 무엇이겠습니까?

저들을 끌고 가라. 단단히 가두고

따로 떼어놓을 것이다－부인께서는, 50

저희와 같이 가셔야겠소－

스태포드, 자네가 모시게.

[스태포드 및 다른 사람들이 위의 공작부인과 흄 퇴장]

여기 잡동사니들을 모두 증거물로 제시하겠다.

모두 가거라!

밑에서 조던, 서덜 그리고 볼링브루크가 호위 속에 퇴장

요크 버킹엄 공, 그녀를 잘 감시하신 듯하오. 55

멋진 계략이었소, 잘 걸려들었어－

자 이제, 악마가 뭐라 적었는지 좀 보십시다.

이게 뭐지? [읽는다.]

헨리가 폐위시킬 공작이 아직 살아 있다.

그러나 그보다 오래 살 것이고 갑작스러운 죽음을 맞이할 것이다. 60

아니, 이건

에아쿠스의 자손이 로마인을 정복한다.

자, 나머지도,

말하라, 어떤 운명이 서포크 공작을 기다리는가?

물에서 죽을 것이고, 그것이 최후다. 65

'소머셋 공작은 어떻게 될 것인가'

성을 피해야지. 높이 솟은 성곽보다는
모래 평원이, 더 안전할 것이다.
자, 갑시다, 경들, 이 예언은
70 있을 수도 이해할 수도 없는 말들이요.
폐하는 지금 세인트 앨번스를 향하고 있소,
저 아름다운 공작부인의 남편도 있지.
말을 빨리 달려 이 소식을 전해야하오.
섭정께서는 이거야말로 유감스러운 아침 식사겠지.

75 **버킹엄** 공작께서 섭정 공에게 보상을 받도록,
이 전갈을 제게 맡기시지요.

요크 그렇게 하시오, 경 [버킹검 퇴장]
안에 누구 있느냐, 여봐라!

하인 등장

설즈베리 경과 워릭 경을 내일 저녁식사에
80 함께하자고 초대하여라. 자, 갑시다!

모두 퇴장

2막

1장

세인트 앨번스

헨리 왕, 마가렛 왕비, 글로스터 공작 험프리, 보포 추기경, 그리고 서포크 공작, 소리 지르는 매사냥꾼들과 함께 등장

마가렛 왕비 경들. 매로 물새 사냥하는 일이,
지난 7년 동안 이토록 재미난 놀이였던 적이 없었어요.
그러나 유감스럽지만, 바람이 너무 셌어요.
그래서 존이 열에 아홉은 나르지 못했어요.

헨리 왕 [글로스터에게]
5 하지만 숙부, 숙부의 매는 다른 매들보다도,
얼마나 높이 날아올랐던지!
모든 생물에게도 신의 뜻이 깃들어 있는 것을 알겠죠!
그럼요, 인간과 새들 모두 높이 오르는 걸 좋아하니까요.

서포크 황공하오나,
10 섭정의 매들이 그리 높이 날아 올라가는 것은 놀랄 일도 아닙니다,
매들이 제 주인이 높이 올라가기를 원하고
자기 매가 날아오르는 높이보다 더 높이 올라가려는 마음을 아는 겝니다.

글로스터 공, 새가 올라가는 것보다 더 높이 오를 수 없는 것은
비천하고 비열한 마음뿐이오

보포 추기경 내 생각도 그렇소, 구름 위에 있고 싶어 하지. 15

글로스터 아니, 추기경, 그 말이 무슨 뜻이오?

폐하께서 천국으로 올라갈 수 있으면 좋지 않으신가요?

헨리 왕 영원한 기쁨의 보고이지요.

보포 추기경 당신의 천국은 땅 위에 있지. 당신의 두 눈과 생각은

온통 왕관을 향하고, 왕관이 당신 마음의 보물이지. 20

왕과 국가에 아첨을 떠는

사악한 섭정, 위험한 귀족 같으니라구!

글로스터 뭐라, 추기경? 당신은 성직자로서 그리 독단적이신 거요?

'천상의 마음에 그렇게 엄청난 분노가 깃들어 있느냐?'

성직자가 그리 화를 내시다니? 숙부, 성스러움을 입고 25

그러한 악의를 감추지 못하시는 거요?

서포크 악의가 아니오, 경, 너무나 당연한 분노지요.

이런 정당한 싸움과 그리고 이런 악독한 귀족에게.

글로스터 누구를 말하는 거요, 경?

서포크 누구긴 누구겠소, 공이지요.

섭정 공 나리께 황공하오나. 30

글로스터 서포크, 당신의 오만방자함을 잉글랜드가 알고 있소.

마가렛 왕비 당신의 야심도 알고 있죠, 글로스터.

헨리 왕 부디 참으시오,

왕비, 성난 두 귀족을 부추기지 마시오,

지상에 평화를 가져오는 사람이 축복받으리로다.

보포 추기경 [서포크에게 방백] 나야말로 축복받을 것이오. 35

저 오만한 섭정과 맞서 내 검으로 때려눕혀 평화를 가져올 것이니

글로스터 [보포 추기경에게 방백] 정말이지, 성직자 숙부, 그리되기를 바라오.

보포 추기경 [글로스터에게 방백] 물론, 네놈이 감히 해보겠다면.

글로스터 [보포 추기경에게 방백] 이 문제로 패거리들을 데리고 오지 마시죠.

40 이 모욕에 대해 직접 답하시지.

보포 추기경 [글로스터에게 방백] 네놈은 감히 그럴만한 놈이 못되지,

그럴 수 있다면 오늘밤 숲 동쪽 편으로 나와라.

헨리 왕 어떻게 된 거요, 경들?

보포 추기경 글로스터 조카, 정말이야,

조카네 매사냥꾼이 갑작스럽게 새를 쫓아내지 않았다면,

좀 더 사냥을 즐길 수 있었을 게야. [글로스터에게 방백]

45 장검을 가지고 오너라.

글로스터 맞아요, 숙부 [보포 추기경에게 방백]

합의한 거지? 숲 동쪽 편.

보포 추기경 [글로스터에게 방백] 꼭 가리.

헨리 왕 왜, 무슨 얘깁니까, 글로스터 숙부?

50 **글로스터** 매사냥 얘깁니다, 다른 얘기는 아닙니다. 폐하.

[보포 추기경에게 방백] 이제, 성모님에 두고 맹세하기를, 사제, 내 당신

삭발머리를 밀어버리겠어,

아니면 내 검술도 끝장이다.

보포 추기경 [글로스터에게 방백] 의사여, 네 자신을 먼저 고쳐라—

섭정, 잘 알아서, 네 자신이나 보호하라.

55 **헨리 왕** 바람이 거세지오, 두 경들도 화가 나 있으니, 경들.

이 가락이 내 마음을 넌더리나게 하는구려!
이런 악기들이 다른 소리를 내니 어떻게 조화를 이룰 수 있겠소?
제발, 경들, 내가 이 분쟁을 멈추게 해 주시오.

한 시민이 '기적이다' 외치며 등장

글로스터 이게 무슨 소리냐?
이 사람아, 무슨 기적이 일어났다는 게냐? 60
시민 기적이오! 기적!
서포크 폐왕께 가서 무슨 기적인지 말씀드리라.
시민 참으로, 앨번스 성지에서 한 맹인이
30분 전쯤에 시력을 되찾았어요—
살아생전 한 번도 앞을 보지 못했던 사람이 말이오. 65
헨리 왕 자 하느님을 찬양합시다, 믿는 영혼들에게
어둠 속에서도 빛을, 절망 속에서도 위안을 주소서!

세인트 앨번스 시장과 시민들이 음악과 함께 등장. 눈 뜬 사내인 심콕스를
의자에 앉혀 둘이 들었다. 그들과 함께 심콕스의 아내 및 다른 시민들 등장

보포 추기경 저기 시민들이 그 사내를 폐하께 알현시키기 위해,
행렬을 지어 오고 있습니다.
헨리 왕 지상의 속세에서 저 자의 위안이 클 것이다. 70
눈을 뜸으로써 죄는 배가 되겠지만.
글로스터 모두 비켜서라, 그자를 폐하께 가까이 데려오너라.
폐하께서 얘기를 나누고 싶어 하신다.

헨리 왕 자네, 이 자리에서 짐에게 상세히 말해 보라,

75 짐은 그대를 위해 주님을 찬송하고 싶구나.

그래, 너는 오랫동안 눈이 멀었다가 이제 시력을 회복되었느냐?

심콕스 황공하오나, 날 때부터 소경이었습니다.

심콕스의 아내 예, 정말 그랬사옵니다.

서포크 이 여자는 누구냐?

80 **심콕스의 아내** 황공하오나, 이 사람의 아내입니다.

글로스터 어머니였다면

그대가 더 잘 말해 줄 수 있었을 것을.

헨리 왕 어디서 태어났느냐?

심콕스 황공하오나, 북쪽의 버윅이라는 곳입니다.

85 **헨리 왕** 불쌍한 자여, 하느님이 네게 큰 호의를 베푸셨도다.

낮이나 밤이나 빠뜨리지 말고

주님께서 행하신 일을 기억할지어다.

마가렛 왕비 말해 보거라, 너는 우연히 이 성지에 왔느냐

아니면 신앙심으로 왔느냐?

90 **심콕스** 하느님께서도 아시겠지만 순수한 신앙심으로 왔습니다.

꿈속에 앨번 성인께서 백번 이상이나 나타나셔서

"이렇게 말하셨어요, '시몬, 오너라,

와서 내 제단에 제물을 바치면 너를 도와주겠노라.'하고 말씀하셨나이다.

심콕스의 아내 정말 그렇습니다. 그리고 아주 여러 번이나

95 제가 남편을 그렇게 부르는 목소리를 들었습니다.

보포 추기경 아니, 자네 절름발이인가?

심콕스 예, 전능하신 하느님 저를 도와주소서.

서포크 어떻게 해서 그리되었느냐?

심콕스 나무에서 떨어졌습죠.

심콕스의 아내 자두나무였습니다. 100

글로스터 눈이 먼 지 얼마나 되었다고?

심콕스 태어나면서부터요, 나리.

글로스터 아니, 그런데도 나무에 올라가려 했다고?

심콕스 어렸을 때, 평생 그때 딱 한 번이었습죠.

심콕스의 아내 맞습니다. 한 번 오르다 호되게 대가를 치른 거죠. 105

글로스터 자두를 꽤 좋아했나보구나, 그런 모험을 하다니.

심콕스 아아, 나리, 제 아내가 자두가 먹고 싶다고 해서
목숨 걸고 올라갔지요.

글로스터 교활한 놈! 하지만 안 통할 것이다.
어디 네 눈 좀 보자. 눈을 감고, 이제 떠 보거라. 110
내가 보기에는 잘 안 보이는 듯한데.

심콕스 나리, 대낮처럼 밝습니다. 하느님과 앨번 성인께 감사를.

글로스터 그렇단 말이지? 이 외투 무슨 색이냐?

심콕스 붉은색이요, 나리, 피처럼 빨갛습니다.

글로스터 그래, 잘 맞추었다. 이 외투는? 115

심콕스 검은색입니다, 흑옥처럼 까만.

헨리 왕 그렇다면 흑옥의 빛깔을 알고 있었느냐?

서포크 내가 보기엔 이제껏 흑옥을 본 적이 없을 텐데.

글로스터 하지만 외투나 가운은 전에 여러 번 봤다 이거지.

120 **심콕스의 아내** 지금까지 한 번도 본 적이 없습니다.

글로스터 여봐라, 내 이름이 무언지 말해 보거라.

심콕스 나리, 저는 모릅니다.

글로스터 저분 이름도?

심콕스 예, 나리, 정말이지 모릅니다.

125 **글로스터** 네 이름은 무엇이냐?

심콕스 황공하오나, 나리, 시몬 심콕스입니다.

글로스터 그렇다면, 시몬, 기독교 국가에서 가장 악덕한 거짓말쟁이인 놈

거기 앉아라. 네가 태어날 때부터 소경이었다면,

우리가 입은 옷의 색 이름을 대듯이

130 당연이 우리의 이름을 알 거 아니냐.

눈을 뜨면 색을 구분할 수 있지만, 갑자기

그 모든 색의 이름을 댄다는 것은 불가능하지.

경들, 앨번 성인께서 이 같은 기적을 행하셨소.

이 절름발이의 다리를 고칠 수 있는 자를

135 경들은 그 자도 솜씨가 대단하다고 생각하지 않겠소?

심콕스 오 나리, 나리께서 고쳐주실 수 있다면!

글로스터 세인트 앨번스 시민들이여, 이 시에 혹시

채찍이라 할 만한 것을 가진 교구 치안 담당자들이 없겠소?

시장 황공하오나, 나리, 있습니다.

140 **글로스터** 그렇다면 즉시 데려오시오.

시장 여보게들, 가서 치안 담당자를 이리 곧장 데려 오게.

시민 퇴장

글로스터 의자를 이리로 당장 가져오라.
자, 이놈, 네놈이 정말
채찍질을 모면하려면,
이 의자를 뛰어넘어 도망치거라. 145
심콕스 아아, 나리. 소인은 혼자서 일어설 수 없습니다.
나리께서 공연히 저를 괴롭히려 하셔도 소용이 없습니다.

치안 담당자가 채찍을 들고 등장

글로스터 좋다, 네놈 다리를 찾아 줘야겠구나.
이봐라, 관리, 저 자가 의자를 뛰어넘을 때까지 쳐라.
교구 치안 담당 예, 나리. 150
오냐, 이놈, 웃옷을 빨리 벗어라.
심콕스 아아, 나리, 저더러 어쩌라고요? 저는 설 수가 없는데요.

치안 담당이 그를 한 번 때리자, 심콕스가 의자를 뛰어넘어 달아난다.
시민들이 뒤따르며 외친다. '기적이다!'

헨리 왕 오 하느님, 이 지경을 보고도 그리 참고 계시렵니까?
마가렛 왕비 그 놈 달아나는 꼴을 보고 웃지 않을 수가 없네요.
글로스터 저 놈을 쫓아가라, 그리고 이 계집을 끌고 가라. 155
심콕스의 아내 아아, 나리, 너무도 가난하여 그리한 것입니다.
글로스터 저들을 시장터 마을을 지날 때마다 내내

채찍질을 해서 버윅으로 돌려보내시오, 거기서 왔다니까.

퇴장 [심콕의 아내, 치안 담당자, 시장, 남은 시민들]

보포 추기경 험프리 공작께서 오늘 기적을 행하셨어요.

160 **서포크** 맞아요. 절름발이를 껑충 뛰어 도망치게 했으니.

글로스터 하지만 당신은 나보다 더한 기적을 행했소—

하루 사이에, 경은 프랑스 모든 도시를 몽땅 날렸으니.

버킹엄 등장

헨리 왕 버킹엄 공, 무슨 소식이오?

버킹엄 말씀드리자니 제 심장이 떨리옵니다.

165 사악하고 음탕한 일당들이

이 모든 사단의 주모자이며, 수장인

섭정의 아내, 엘리노어 부인의

지지와 공모 하에

마녀와 주술사들과 거래를 하여

170 폐하 왕국에 위험한 음모를 꾸몄나이다.

그 일당을 현장에서 체포하였는데,

그들은 지하에서 악령들을 불러내어

헨리 왕과 추밀원의 다른 고관들의 생사에 대해

묻는 중이었습니다.

175 상세한 것은 곧 아시게 되실 것입니다.

보포 추기경 그래서, 섭정, 이런 연유로,
경의 부인은 런던 법정에 출두해야겠군요.
이 소식이, 아마도, 경의 칼날을 무디게 하겠지.
경, 시간도 못 지킬 것 같은데.

글로스터 야심만만한 성직자, 내 마음을 괴롭히지 마시오. 180
슬픔과 고통이 내 모든 힘을 무너뜨렸소.
그리고 무너졌으니, 나는 당신한테 항복할 수밖에.
아니 가장 비천한 하인한테도 항복이오.

헨리 왕 오 하느님, 어찌하여 사악한 자들이 악행을 일삼음으로써,
자신들의 머리 위에 파멸을 쌓으시나이까! 185

마가렛 왕비 글로스터 경, 그대 집안의 오명을 아셨으니,
본인의 흠결을 살피는 것이 최선일 것이오.

글로스터 왕비 마마, 하늘에 두고 맹세합니다.
제가 얼마나 폐하와 나라를 사랑하였는지를,
제 아내에 관해서는, 어찌된 건지 알지 못합니다. 190
이와 같은 소식을 들으니 애석하옵니다.
그녀는 고결하지만, 만일 명예와
미덕을 잊고, 역청과 같은 이들과 어울려
고결함을 더럽혔다면
저는 부인을 제 잠자리와 집안에서 추방하겠습니다. 195
글로스터의 정직한 이름을 더럽힌 여자이니
법의 먹이로 내주어 치욕을 받게 하겠습니다.

헨리 왕 어쨌든, 오늘 밤은 여기서 쉽시다.

내일 런던으로 돌아가,

200 이 사건을 철저히 조사하고,

이 더러운 범법자들을 불러 답변케 하고,

공평한 정의의 여신의 저울에다 시비를 달아보겠다.

누구 저울대가 꿋꿋한지, 누구의 정당한 주장이 우세한 지 가려 줄 거요.

화려한 취주, 모두 퇴장.

2장

요크 공작저택의 정원

요크 공작과 설즈베리 및 워릭 백작 등장

요크 자, 설즈베리 경과 워릭 경,
간소한 저녁 식사가 끝났으니, 인적이 드문 이곳을
함께 산책하며 간청건대,
잉글랜드의 왕관을 충분히 쓸 만한 나의 자격에 대해
두 분의 의견을 듣고 싶소. 5
설즈베리 공작, 내 그 얘기를 상세히 듣고 싶소.
워릭 요크 공, 말씀하시지요, 공의 주장이 옳다면,
네빌 가문은 공의 신민으로서 명을 따르리오.
요크 그러면 다음과 같소.
경들, 에드워드 3세에게는 아들이 일곱 분이 계셨지요. 10
첫째는, 흑태자 에드워드로, 웨일즈 왕자,
둘째는, 하트필드의 윌리엄, 그리고 셋째는,
클라렌스 공작 리오넬이고, 그 다음이
랑카스터 공작, 고온트의 존,
다섯째는 요크 공작, 에드먼드 랠리, 15
여섯째는 글로스터 공작, 우드스탁의 토머스,

윈저의 윌리엄이 일곱째이자 마지막이었소.
흑태자 에드워드는 부왕보다 더 먼저 돌아가셨고,
그 분의 외아들 리처드가 있었는데
20 에드워드 3세가 돌아가신 후, 리처드가 국왕으로서 통치하다가
고온트의 존의 장자이자, 상속자인
랑카스터 공작, 헨리 볼링브루크가
왕국을 장악하고, 합법적인 왕을 폐위시키고
헨리 4세라는 이름으로 왕관을 쓴 것이오.
25 불쌍한 왕비를 고향인 프랑스로 돌려보내고
그리고 아시다시피, 리처드 왕을 폼프릿 성으로 유폐시켰소.
죄 없는 리처드 2세는 부정하게 살해된 것이요.

워릭 아버님, 요크 공 말이 사실입니다.
그렇게 랑카스터 가문이 왕관을 얻었죠.

30 **요크** 지금도 그들은 왕관을 권리가 아닌 힘으로 쥐고 있어요.
장자의 뒤를 계승한 리처드가 죽었으므로,
둘째 아들의 자식이 통치를 해야만 했소.

설즈베리 하지만 패트필드의 클라렌스는 후사 없이 돌아가셨잖소.

요크 셋째 아들인 클라렌스 공의 혈통인
35 내가 왕위를 주장하는 바지만, 필리페란 따님이 계셨는데,
그 분은 마치 백작, 에드먼드 모티머와 결혼을 하셨지요,
에드먼드는 자식이 있었소, 로저, 마치 백작이오,
로저는 자식으로 에드먼드, 앤, 그리고 엘리노어가 있었습니다.

설즈베리 내가 읽은 바로는, 볼링브루크 치세 때,

그 에드먼드가 왕관의 권리를 주장했지요, 40
그리고, 오웬 글렌다워[8]만 아니었다면, 왕이 되셨겠지요.
오웬이 에드먼드가 돌아가실 때까지 가두었으니까요.
그건 그렇고 계속하시오.

요크 에드먼드의 그의 맏누이, 앤,
즉 내 어머니는, 왕위 계승자로서, 45
에드먼드 3세의 다섯 째 아들인 에드먼드 랭리의
아들 캠브리지의 백작 리처드와 결혼하셨지요.
어머니 때문에 나는 왕국을 요구하는 거요, 어머니는
마치의 백작 로저의 상속자이고
로저 백작의 부친은 에드먼드 모티머이며, 50
그 분의 아내인 필립페는
클라렌스의 공작 리오넬의 외동딸이었소.
그러니 형의 핏줄이 동생 핏줄보다
먼저 승계권을 받는 것이라면, 내가 왕 아니겠소.

워릭 이보다 더 명백한 계보가 어디 있겠습니까? 55
헨리는 넷째 아들인 고온트의 존의 핏줄로
요크 공께선 셋째 아들의 핏줄로 왕권을 주장하는 겁니다.
리오넬 핏줄이 끊어질 때까지, 존의 자식은 통치할 수 없죠.
리오넬의 핏줄이 끊어지기는커녕, 공작으로
공작의 아들들까지, 단단한 나무에서 뻗은 아름다운 가지들로 번

---

8. 『헨리 4세 1부』에 등장한 웨일즈 왕자로 헨리 4세에 반기를 든 퍼시 일가에 가담하여 반역을 꾀함.

60 성중입니다.
그렇다면, 아버지, 우리 함께 무릎을 꿇고
[무릎을 꿇는다.]
그리고 이 인적 없는 곳에서 우리가 처음으로
태어날 때부터 영예로운 왕위 계승권을 가진
우리의 정당한 군주께 경배를 드립시다.

65 **설즈베리와 워릭** 만수무강하소서. 리처드. 잉글랜드의 왕이시여!

요크 고맙소, 경들. [설즈베리와 워릭이 몸을 일으킨다]
하지만 내가 왕관을 쓰고, 내 칼이
랑카스터 가문의 심장 피로 얼룩질 때까지는
나는 그대들의 왕이 아니오.
70 그런 일은 갑작스레 행해질 일이 아니고,
신중하고 말없이 은밀하게 행해야 하오.
요즘같이 위험한 시국에 나처럼, 그대들도
서포크 공의 오만방자함을
보포 거만함을, 서머싯의 야심을.
75 버킹엄과 그의 일당 모두를 눈감아 주시오.
그러다보면 그들이 가축 떼의 양치기이며,
덕망 높은 군주인, 선량한 험프리 공작을 함정에 빠뜨릴 거요.
그것이 그들이 바라는 바고, 그들은, 그 짓을 하다가,
요크의 예언이 맞다면, 자기들의 죽음을 자초하게 될 것이오.

80 **설즈베리** 경, 파하시지요, 경의 생각을 익히 알겠습니다.

워릭 워릭이 마음 깊이

언젠가는 요크 공작을 왕으로 모시리라 확신합니다.

요크 그리고 네빌. 이 점을 나는 보장하겠소,

리처드는 살아 있는 한 워릭 백작을

잉글랜드에서 왕 다음가는 위대한 자로 만들 것이오. 85

모두 퇴장

3장

런던 법정

나팔소리, 헨리 왕과 마가렛 왕비, 글로스터 공작 험프리, 요크 공작, 솔즈베리 백작 그리고 공작부인 엘리노어, 마녀 마저리 조던, 두 사제 존 서덜과 존 흄 경, 그리고 주술사 로저 볼링브로크 등장

헨리 왕 앞으로 나오라, 글로스터의 아내, 공작부인 엘리노어 콥햄,
하느님이 보시기에도 짐이 보기에도 그대의 죄는 매우 크다,
성서에서도 그 죄에 대해선 죽음에 해당하니
법의 선고를 받아라.
5 너희 넷은, 감옥으로 돌아가,
그곳에서 처형장으로 가는 것이다.
마녀는 스미스필드에서 재만 남을 때까지 태울 것이고,
너희 셋은 교수대에 목을 매달 것이로다.
그대, 부인은, 더 고귀한 태생이니,
10 평생 그대 명예를 박탈하고
3일간의 공개 참회를 마친 후,
맨 섬으로 추방되어
기사 존 스탠리와 함께 여생을 보내도록 하여라.
공작부인 죽음도 받아들였을 터, 기꺼이 추방을 받아들입니다.
15 **글로스터** 엘리노어, 보다시피, 법이 당신을 심판하였소.

법이 유죄 선고한 자를 내가 변호할 수는 없는 일이오.
내 눈은 눈물로 가득하고, 내 가슴은 슬픔으로 가득하구나.

[공작부인 호위 경계를 받으며 퇴장]

아, 험프리, 이 나이에 이런 불명예를 입고
머리를 슬픔으로 가득 채워 무덤까지 데려가리니,
폐하 부디, 이만 물러가게 해주소서. 20
슬픔은 위로를, 제 나이는 편히 쉬고 싶어 하나이다.

헨리 왕 글로스터 공작 험프리. 가기 전에 잠시 기다리시오,
그대의 직장을 내놓으시오. 헨리에게
섭정은 필요 없고, 하느님께서 내 희망이고,
내 버팀줄이자, 안내자, 내 발밑을 비춰줄 등불이오. 25
편안히 가시오, 험프리, 내 사랑은
그대가 왕의 섭정 직에 있었을 때보다 덜하지 않을 테니.

마가렛 왕비 난 도무지 모르겠어요. 왜 성년이신 왕이
어린애처럼 보호받을 필요가 있다는 건지.
하느님과 헨리 왕이 잉글랜드를 통치하시니, 30
직장을 내놓으시고, 경, 그분 영토를 국왕께 내놓으시오.

글로스터 내 직장? 폐하, 여기 제 직장이옵니다.
그 옛날 부왕 헨리 5세께 직장을 받았을 때처럼
기꺼이 포기하는 마음이 갈사옵니다.
다른 이들이 야욕에 가득 차서 받을 때처럼 35
기꺼이 폐하의 발아래에 바치나이다.

[그가 직장을 내려놓는다.]

안녕히 계십시오, 폐하. 제가 죽고 없어져도
명예로운 평화가 폐하의 옥좌를 돌봐 주기를. 퇴장

마가렛 왕비 이제야, 헨리 왕과 마가렛 왕비로다,
40 글로스터 공작 험프리는 그토록 고통스런 절단을 겪어
불구자나 마찬가지니, 일거양득이네요.
공작부인은 추방되고 그는 사지가 잘린 셈이지요.
이 명예로운 직장을 내놓았으니, [그녀가 직장을 집어 든다.]
가장 잘 어울리는
폐하의 손에 놓여야지요.

45 **서포크** 높이 솟아오른 소나무도 이렇게 시들면 가지도 늘어집니다.
엘리노어의 오만이 새파란 나이에 이렇게 죽어갑니다.

요크 경들, 그는 가게 두시죠. 황공하오나 폐하,
오늘이 결투일로 정해진 날입니다.
도전자와 방어자인 도제와 병기공이 결투장에 입장할 준비를
50 준비를 마쳤나이다.
그러니 폐하께서도 참관하여 주소서.

마가렛 왕비 좋아요, 경, 그렇잖아도 일부러
그 싸움이 어떻게 되는지 보려고 궁정을 나왔어요.

헨리 왕 하느님의 이름으로, 결투장과 만사를 점검하시오.
55 결투로 끝을 내게 하리니, 하느님 정의를 지켜주소서.

요크 경들, 저 병기공의 도제인 도전자보다
장비가 형편없거나, 싸우기를 두려워하는 자를,
나는 본 적이 없소.

한쪽 문으로 병기공 호너와 그의 이웃들 등장. 이웃들이 호너에게 건배를 너무 권해 그는 만취한 상태고, 고수 한 명을 앞세웠으며, 모래 부대를 고정시킨 지팡이를 들고 있다. 다른 쪽 문으로 그의 도제 피터가, 또한 고수를 앞세우고, 모래 부대 달린 지팡이를 들고, 그에게 건배하는 도제들과 함께 등장

첫 번째 이웃 자, 호너, 난 자네를 위해 스페인산 셰리 백포도주로 건배
하네. 겁먹을 거 없어, 자네는 충분히 잘 할 거야. 60

두 번째 이웃 그리고 여기, 이웃 친구, 이건 포르투갈 산 적포도주로 건배

세 번째 이웃 여기, 센 맥주 한 잔해, 이웃 친구,
마시고 저 젊은 놈을 겁내지 말라고.

호너 돌려라, 돌려, 참으로 내가 자네들 모두한테 맹세할 것이야,
피터, 엿 먹어라! 65

첫 번째 도제 마시게, 피터, 자네를 위해 건배, 두려워할 것 없어.

두 번째 도제 여기, 피터, 자네를 위한 보르도산 적포도주 파인트 한 잔.

세 번째 도제 그리고 이건, 내가 마실 2 파인트 잔이고 기운내라구, 피터,
자네 주인이라구, 겁낼 거 없어. 싸우라 도제들의 명예를 위해!

피터 모두 고맙네. 마시고 날 위해 기도해주게, 나도 기도하지. 이승의 70
마지막 술잔을 들이킨 것 같거든. 자, 로빈, 내가 죽으면, 내 앞치
마를 주겠네. 그리고 윌, 자네는 내 망치를 갖고, 그리고 톰, 내가
가진 돈 전부일세. 오 주여 제게 축복을, 하나님께 기도드립니다.
저는 결코 제 주인의 상대가 될 수 없거든요, 그분은 이미 너무
많은 검술을 배웠다니까요. 75

설즈베리 자, 술은 그만 마시고, 시합을 하라.
이보게, 자네 이름이 뭔가?

피터 실은 피터입니다.

설즈베리 피터? 그 다음은?

80 **피터** 섬프요.

설즈베리 섬프! 네 주인을 흠씬 때려주는 걸 볼 수 있겠구나.[9]

호너 나리들, 제가 이곳에 온 것은, 말하자면, 내 도제의 선동 때문입니다. 그자가 악당이고 제가 정직한 사람이라는 거 증명하기 위해서죠. 그리고 요크 공작에 관해서는, 제 목숨을 걸고 맹세컨대

85 구분에게 절대 악의를 품은 것이 아닙니다. 폐하도, 왕비님도 물론이고요. 그러니, 피터, 네놈에게 일격을 가할 것이다.

요크 어서 해라!, 이 놈 혀가 꼬부라지기 시작하니.

나팔을 불어라! 결투 경보 나팔 소리.

그들이 싸우고 피터가 호너 머리통을 가리고 때려눕힌다.

호너 그만, 피터, 그만! 고백하겠다, 반역을 고백하겠다.

[죽는다.]

90 **요크** 저놈의 무기를 뺏어라. 이보게, 하느님과 자네 주인을 쓰러지게 한 포도주한테. 감사하게.

피터 [무릎을 꿇고] 오 하느님! 제가 지금 폐하 앞에서 적을 물리친 겁니까? 오 피터, 정의로 네가 이겼다!

헨리 왕 가서, 내 앞에서 저 반역자를 치워라.

95 저자의 죽음으로 짐은 저자의 죄를 알 수 있나니,

---

9. 피터의 성인 '섬프(thump)'가 영어에서 '주먹으로 내리치다, 쿵 떨어지다'의 의미임.

그리고 하느님께서 이 불쌍한 자의 진실과 결백함을
정의롭게 우리에게 밝혀주셨다.
저 반역자가 부당하게도 살해하려 했으나,
이보게, 따라 오너라, [피터가 일어선다.]
보답을 내리리니. 100

화려한 취주. 모두 퇴장

4장

런던 거리

글로스터 공작 험프리와 그의 하인들이 상복 차림으로 등장

글로스터 이렇게 어떤 때는 가장 화창한 낮에도 구름이 끼고,
그리고 언제나 여름이 가면
분노에 가득 차 살을 에는 추위로 불모의 겨울이 온다.
계절이 지나감에 따라 그렇게 근심과 기쁨이 가득한 것이야.
5 이보게, 몇 신가?

하인 열시입니다. 나리.

글로스터 열 시면 처벌받은 내 부인이
오는 것을 지켜볼 수 있게끔 정해놓은 시간이로구나.
부인은 부드러운 맨발로 이 단단한 돌길을 밟고
10 지나가는 것을 견디지 못할 게야.
넬, 당신이 의기양양하게 마차를 타고 거리를 지날 때
지난 날 그 당당한 마차 바퀴를 쫓아오던
천한 신분들이 부인의 얼굴을 앙심 품은 표정으로,
뚫어져라 쳐다보고, 당신의 치욕을 비웃는 것을
15 당신의 고귀한 마음은 견디기가 힘들겠지.
하지만 가만, 부인이 오는 것 같군, 눈물 젖은 눈으로

그녀의 비참한 모습을 보기 위해 준비해야겠다.

공작부인 등장. 맨발이고 하얀 천으로 몸을 둘렀고, 손에 초를 들었고, 글귀가 적힌 쪽지[10]가 등에 붙어 있으며, 런던 치안관 두 명과 존 스탠리 경, 그리고 날이 흰 창과 도끼, 창을 든 관리들 등장.

하인 나리만 괜찮으시다면, 저희가 마님을 치안관한테서 구출해 내겠습니다.

글로스터 안 돼, 움직이면 가만두지 않겠다, 그냥 지나가게 두어라.

공작부인 여보, 제 공공연한 치욕을 보러 오셨나요? 20
이제 당신도 참회하세요. 저들의 눈초리가 어떤지 보세요.
흥분한 군중들이 손가락질하고
머리를 끄덕이며, 당신을 보고 있잖아요.
아, 글로스터, 저 증오에 찬 시선을 피하세요.
그리고 방에 들어가 제 치욕을 슬퍼하시고 25
당신 적들을, 나와 당신의 적 모두를 저주하세요.

글로스터 넬, 참으시오, 이 슬픔을. 잊어요.

공작부인 아, 글로스터, 내 자신을 잊는 법을 가르쳐 주세요,
내가 당신의 아내고,
당신은 공작이자, 이 나라의 섭정이라는 걸 생각하면, 30
등에 종이를 붙이고, 치욕으로 몸을 포장하여
이렇게 질질 끌려 다닐 리가 없는데 말이죠.
어중이떠중이들이 내 뒤를 쫓아다니고

10. 죄목을 기록한 종이

내 눈물을 보고, 깊은 신음 소리를 들으며 환호해요.
35 무정하고 단단한 돌길이 내 부드러운 발에 상처를 내죠,
내가 아파서 움찔하면, 악의에 찬 사람들이 비웃으며
나에게 잘 좀 걸어 보라고 명령을 해요.
아, 험프리, 내가 이 치욕스런 멍에를 견딜 수 있을까요?
당신은 내가 언제고 다시 세상을 쳐다보거나,
40 햇빛 즐기는 사람들이 행복하다 여길 것이라고 생각할 수 있겠어요?
아녜요, 어둠이 내 빛이고, 밤이 나의 낮이며,
지난날의 영화를 생각하는 것은 나의 지옥일거에요.
가끔씩 말하겠지요, '나는 험프리 공작의 아내고,
그는 군주고 이 나라의 통치자요,
45 하지만 통치자이며, 그런 왕족이면서
그저 우두커니 서서 바라만 보고 있지요. 버림받은 공작부인이
뒤를 따라다니는 온갖 비천한 자들한테
구경거리이자 조롱거리가 되었는데도 말이지요.'
하지만 당신은 내 치욕을 보고 얼굴 붉히지 말고 가만히 계시오.
50 죽음의 도끼가 당신 목을 치기까지는
꼼짝도 마시오, 이제 곧 그렇게 되겠지요.
모든 걸 좌지우지하는 서포크와
당신과 우리 모두를 증오하는 왕비,
그리고 요크나 불경스런 보포, 거짓 사제가,
55 당신 날개를 속이려고 모두 숲에다 끈끈이를 발라 놓았소,
당신이 아무리 날려 해도, 그들은 당신을 옭아맬 거요.

허나 당신 발이 올가미에 걸릴 때까지 걱정 마시오,

적의 계략을 막을만한 방법을 찾을 것도 없어요.

글로스터 아, 넬, 그만해요! 그건 모두 당신의 비뚤어진 생각이오.

내가 죄를 지어야 반역에 대해 비난을 하든 말든 하지 60

나의 적이 지금의 스무 배나 되고,

그들 각자가 스무 배나 넘는 권력을 가지고 있다 한들,

이 모든 것들도 나를 해치지는 못할 거요.

내가 충직하고, 정직하며, 죄가 없는 한 말이요.

당신은 나더러 이 비난으로부터 구해달라고? 65

허나, 당신의 추문이 아직 사라지지 않았소,

난 법을 어길 위험이 있는 거고,

넬, 당신에게 큰 도움이 되는 것은 조용히 있는 것이오.

제발 인내하시오.

며칠 지나면 구경거리는 잊힐 테니. 70

전령 등장

전령 저하를 폐하의 의회에 소환합니다,

의회는 다음 달 첫날 버리 세인트 에드먼즈에서 열립니다.

글로스터 나의 사전 동의도 구하지 않고 말인가?

뭔가 비밀스런 계략이 있군. 알았다, 그리 갈 것이니라. [전령 퇴장.]

넬, 이제 가야겠소, 그리고 치안관, 75

그녀의 참회형이 국왕의 명령을 능가하면 안 될 것이오.

첫 번째 치안관 황공하오나, 제 책임은 여기까지입니다,

이제 기사 존 스탠리가 명을 받아
부인을 맨 섬으로 모셔가게 되어 있습니다.

80 **글로스터** 존, 이제 그대가 내 부인을 지금 호송하는 것인가?

스탠리 황공하오나, 그리 명을 받았습니다.

글로스터 부탁하오. 부인을 잘 부탁한다고 해서
홀대하지 말아주오. 세상에 다시 웃음꽃 피는 날 오고,
내 그때까지 살아 그대에게 친절을 베풀지도 모르잖소,
85 그대가 잘 돌봐주면. 그렇게 될 것이오. 존, 잘 가시오.

글로스터가 떠나려 한다.

공작부인 아니, 가신다구요, 여보, 내게 작별 인사도 없이?

글로스터 내 눈물을 보시오, 더 이상 말을 할 수가 없소.

글로스터 그의 하인들 퇴장

공작부인 너희도 가느냐? 모든 위안이 사라지는구나,
내 곁에 아무도 없으니. 내 기쁨은 곧 죽음이로구나,
90 죽음, 그 이름에 내가 종종 겁을 먹었던,
난 세상이 영원하기를 원했으니까.
스탠리, 제발 날 여기에서 데려가 주시오.
어디든 상관없소, 호의를 구걸할 생각도 없으니까.
당신이 명령 받은 곳으로 날 데려다 주면 될 뿐이오.

95 **스탠리** 예, 부인, 그곳이 바로 맨 섬이지요.

그곳에서 부인은 신분에 합당한 대우를 받으실 겁니다.

공작부인 그거 아주 혹독하구려, 내 신분은 치욕이니까,

그러니 날 치욕스럽게 다루겠다는 소리 아니오?

스탠리 공작부인이자 험프리 공작의 부인으로

그 신분에 따른 대우를 받으실 겁니다. 100

공작부인 치안관, 작별합시다. 그리고 나보다 더 잘 지내시오,

당신은 내 치욕의 안내자였지만.

첫 번째 치안관 그게 제 업무입니다, 그러니, 부인, 용서하십시오.

공작부인 그럼요, 잘 가시오—그대 업무는 끝났으니. [치안관들 퇴장]

갑시다, 스탠리, 떠날까요? 105

스탠리 부인, 참회형을 치르셨으니, 이 종이를 떼시고,

가서 여행 복장을 갖추시지요.

공작부인 이 종이를 뗀다 한들 내 치욕이 사라지지는 않지요.

아니지, 그건 내 가장 화려한 의상에도 매달려

모습을 드러낼 것이오, 내가 어떤 복장을 하던 간에. 110

갑시다, 앞장서요, 내 감옥을 보고 싶구려.

모두 퇴장.

3막

1장

커다란 집회장, 베리 세인트 에드먼즈

나팔소리. 우선 두 명의 전령이 등장하고, 그 다음 그 다음 헨리 왕과 마가렛 왕비, 보포 추기경, 버킹검 및 서포크 공작, 요크 공작, 버킹엄 공작, 그 다음 설즈베리 및 워릭 백작, 시종들과 함께 의회에 등장

헨리 왕 어쩐 일로 글로스터 공작이 오지 않는지 궁금하구나.
그 분은 뒤늦게 오시는 법이 없는데,
대체 무슨 일이 있기에 못 오고 계시는 건지.
마가렛 왕비 안 보이시나요, 아니면 그 분의 얼굴 모습이
5 이상하게 변한 것을 모른 체 하시는 겁니까?
위풍 떨며
최근 얼마나 오만방자하고 거만을 떨든지
얼마나 독단적인지 그 분 답지 않지 않았습니까?
폐하와 저는 그 분의 상냥하던 때를 알잖아요,
10 그냥 멀리서 눈길만 주어도,
즉시 무릎을 꿇어서
온 궁정이 그 분의 복종심에 감탄했습니다.
하지만 요즘 보면, 아침이라고 해서
모두가 그 날의 인사를 나누는데도
15 그분은 이마를 찌푸리고 성난 눈을 하고서

무릎을 뻣뻣하게 세우고 지나가버리지요.
우리에게 갖추어야 할 예의를 무시하고 말예요.
똥강아지들이 이빨을 드러내면 아무도 신경 안 쓰지만,
사자가 으르렁하면 대단한 사람도 몸을 떠는 법입니다.
험프리는 잉글랜드에서 하찮은 존재가 아니고요. 20
첫째, 혈통에서도 폐하와 가장 가깝고,
폐하께서 잘못되신다면, 그 자리에 오를 분임을 명심하세요.
그렇다면
그분이 가슴에 얼마나 사무친 원한을 품고 있는지,
폐하의 서거 후에 따르는 이득을 얻게 될 사람임을 고려해 볼 때, 25
그분을 폐하의 옥체 주변에 가까이 두거나
폐하의 추밀원에 참여시키는 것은
현명치 않은 처사겠지요,
그분은 평민들의 마음을 아첨으로 얻었습니다,
그가 반란을 일으키고자 할 때, 30
백성들이 모두 그를 따르지 않을까 염려됩니다.
지금은 봄이고, 잡초들이 내린 뿌리가 얕지만,
지금 그냥 둔다면, 정원에 퍼져나가,
관리 부실로 약초들을 질식시킬 겁니다.
폐하께 품은 존경어린 근심으로 35
공작 마음속에 있는 이런 위험거리를 추론해보았어요.
어리석다면, 여인네 걱정이라고 생각하세요.
이런 걱정을 물리치고 들어앉을 수 있는 이성이 있다면,

제가 시인하고 공작에게 잘못했다고 말하겠어요.

40 서포크 공, 버킹엄 공, 그리고 요크 공,

내 주장을 반박해 보시오.

아니면 내 말이 과연 그렇다 동의를 하시지요.

서포크 왕비께서는 공작의 속셈을 잘 보신 겁니다,

제가 먼저 제 마음을 말씀드리게 되었더라도,

45 저는 왕비님 하신 말씀 그대로를 전했을 겁니다.

공작부인은 공작의 사주를 받아

끔찍한 제의를 꾸민 것일 거라 제 목숨 걸고 아뢰옵니다.

만일 공작이 그러한 범죄를 내밀히 알지 못했다면

폐하 다음의 왕위 계승자로서

50 자신의 높은 혈통을 장담하며,

자신의 고귀함을 그토록 뽐내던 것이,

정신에 이상이 있는 공작부인을 부추긴 겁니다.

사악한 계략으로 폐하의 몰락을 꾀하라고 말이죠.

개울이 깊으면 물이 잔잔히 흐르는 법

55 순진한 모습에 분명 역심을 품고 있는 겁니다.

여우는 어린 양을 훔칠 때 소리를 내지 않아요.

아녜요, 아닙니다, 폐하, 글로스터는 아직

그 속을 드러내지 않지만, 기만으로 가득 차 있어요.

보포 추기경 그자는, 법 절차를 무시하고,

60 사소한 잡범까지 이상하게 사형으로 처벌한 자가 아닙니까?

요크 그리고 그자는, 섭정직에 있을 때,

왕국 전역에서 막대한 액수의 세금을 징수하여
프랑스 주둔 병사 급여라 했으나, 한 번도 보내지 않았고,
그 때문에 프랑스 도시들에서 날마다 폭동이 일어난 것입니다.

버킹검 쯧, 그 정도는 사소한 것에 불과합니다. 65
때가 되면 밝혀질 온화한 험프리 공작의 알려지지 않은 잘못들에
비하면 말이지요.

헨리 왕 경들, 이제 됐소. 경들이 짐을 염려하여
짐의 발에 박힌 가시를 뽑아 주려는 것은
칭찬받아 마땅할 일이지만, 내 진심으로 말해 보리까?
짐의 친척 글로스터는 70
짐의 옥체에 반역을 꾀하는 일에는
젖 먹는 어린 양이나 순진한 비둘기와도 같이 결백하오.
공작은 미덕 있고, 온화하며, 악행을 꿈꾸거나
나의 몰락을 꾀하기에는 천성이 훌륭한 분이오.

마가렛 왕비 아, 그 어리석은 신뢰야말로 위험한 것 아녜요? 75
비둘기 같다고요? 그자는 깃털을 빌렸을 뿐이에요,
그자의 기질은 혐오스러운 갈까마귀 같으니까요.
어린 양이라고요? 분명 가죽을 빌려 온 거겠지요,
그의 본성이 게걸스런 늑대 같으니까요.
사람을 속이려한다면 그 정도의 겉모습 도둑질은 누가 못하겠어요? 80
주의하세요, 폐하, 우리 모두의 안녕이
그 사기꾼을 당장 제거하는 것에 달렸습니다.

소머셋 공작 등장

소머셋 폐하 만수무강하소서!

헨리 왕 어서 오시오, 소머셋 경. 프랑스에서 무슨 소식이라도 있는 게요?

85 **소머셋** 프랑스 내 폐하의 모든 영토권을

일체 빼앗겼습니다, 모두 잃어버렸습니다.

헨리 왕 언짢은 소식이구려, 소머셋 경, 하지만 하느님 뜻이니.

요크 [방백] 내게도 언짢은 소식이지, 비옥한 잉글랜드 못지않게

프랑스를 차지하고 싶었는데 말이지.

90 이렇게 내 꽃은 피기도 전에 봉오리인 채로 시드는구나,

애벌레들이 내 잎사귀를 다 갉아먹고 말이지.

그러나 머지않아 난 이 일을 난 바로잡을 테다,

아니면 내 칭호를 영광스러운 무덤과 교환하는 거지.

글로스터 공작 험프리 등장

글로스터 만복이 국왕 폐하께 깃들기를.

95 폐하, 용서하소서. 제가 너무 늦었사옵니다.

서포크 천만의 말씀, 글로스터 공, 너무 일찍 오셨어요.

당신이 평소보다 더 충성스러웠다면 모를까.

내 이 자리에서 당신을 반역죄로 체포하오.

글로스터 그래도, 서포크 공, 그대는 내 얼굴이 붉어지는 것을

보지 못하리로다.

100 이 체포로 내 안색이 변하지도 않을 터.

흠결 없는 마음이 그리 쉽사리 의기소침해지지 않는 법이고

폐하에 대한 역심이 없이 맑으니

진흙에 물들지 않는 샘물보다 더 깨끗하단 말이지.
누가 날 고소하겠소? 내가 무슨 죄를 지었는가?

요크 경, 경께서는 프랑스에서 뇌물을 받았고, 105
섭정직에 있으면서, 병사들에게 급료를 주지 않아,
그 때문에 폐하께서 프랑스를 잃게 되었다고 생각됩니다만.

글로스터 그렇게 생각한단 말이오? 도대체 누가 그리 생각하는 것이오?
난 결코 병사들 급료를 빼앗는 적이 없거니와
프랑스에서 한 푼의 뇌물도 받은 적 없소. 110
그러니 하느님도 아시오, 나는 잠도 자지 않고,
밤마다 잉글랜드의 이익을 궁리하였소!
내가 폐하의 돈을 한 푼이라도 갈취한 게 있다면
혹은 동전 한 닢이라도 개인 용도로 챙긴 게 있다면,
내 재판이 있는 날에 증거로 제시하시오! 115
아니오. 궁핍한 백성에게 세금을 징수하는 것을 원치 않아
내 개인 재산 중 엄청난 돈을
주둔군에게 지급했소.
그리고 한 번도 보상을 요구하지 않았소.

보포 추기경 경, 그만큼 말했으면 적절하오. 120

글로스터 내가 진실만을 말한 것임을, 하느님 절 도우소서.

요크 경이 섭정직에 있을 때, 죄인에 대해
듣도 보도 못한 이상한 처벌법을 고안하였고,
하여 잉글랜드가 폭정으로 악명이 높아졌소.

글로스터 내가 섭정으로 있을 때 125

결점이 있다면 바로 동정심이었단 거는 잘 알려진 사실이오.
난 죄인의 눈물을 보면 마음이 녹기 일쑤였고,
그들의 사죄하는 말을 곧 죄에 대한 죗값으로 여겨
잔인한 살인범이 아닌 한,
130 불쌍한 나그네들을 약탈한 못된 노상강도가 아닌 한,
난 결코 죄에 해당하는 당연한 형벌을 내린 적이 없소.
살인이라는 정말 잔인한 죄에 대해서는
어떤 중죄보다 더 가혹하게 처벌했소.

서포크 경, 이런 잘못들은 사소하니 쉽사리 변명할 수도 있으나,
135 당신은 더 강력한 범죄 혐의를 받고 있어
결백함을 증명하는 것이 쉬운 일이 아닐 것이오.
나는 당신을 폐하의 이름으로 체포하고
이 자리에서 당신을 추기경께 넘겨
다음 재판 때까지 감시하고자 함이오.

140 **헨리 왕** 글로스터 경, 제 희망이오니
경께서 모든 혐의를 씻어 내 주십시오.
내 양심에 두고 경의 무죄를 믿소.

글로스터 아, 폐하, 위험한 시국이옵니다.
미덕이 더러운 야심으로 질식당하고,
145 자비는 적의의 손에 쫓겨납니다.
부당한 행위가 판을 치고
공평함은 폐하의 나라에서 추방되었습니다.
저들의 꿍꿍이가 노리는 것은 제 목숨이지요.

제 죽음이 우리 섬나라를 행복하게 만들고,
그들의 포악한 시대를 끝낼 수 있다면, 150
저는 참으로 기꺼이 제 생명을 바칠 것입니다.
하지만 제 죽음은 그들 연극의 서막에 지나지 않습니다.
아직 위험을 의심치 않고 있는 수천의 목숨이 더 희생될 때까지
그들이 계획한 비극은 끝나지 않을 것입니다.
보포의 불꽃 튀는 붉은 두 눈엔 마음 속 악의가 번득이며, 155
서포크의 찌푸린 이마엔 폭풍 같은 증오가 서려있고,
매서운 버킹엄은 가슴속에 도사리고 있는
악의를 혀로 내뱉으며,
고집스러운 요크는 달까지 넘볼 기세라,
그 주제넘은 팔을 제가 잡아당겨 만류했더니, 160
거짓된 고발로 제 목숨을 빼앗으려고 합니다.
그리고 왕비 마마, 마마께서는, 저자들과 함께,
근거도 없이 제 머리 위에 치욕을 씌우고
가장 소중한 폐하마저 적이 되라고
온갖 힘을 다해 폐하를 부추기고 있습니다. 165
여러분 모두 머리를 맞대고—
여러분의 비밀 회합을 나는 알고 있었소.—
모두 죄 없는 나의 생명을 없애버리기 위해서이겠지.
나를 고발할 거짓 증인도 부족하지 않을 터,
내 죄를 논증할 반역의 내용도 넘쳐나겠지요. 170
옛 속담 그른 것 하나 없다 했소.

'개를 패줄 몽둥이야 금방 구할 수 있다.'고 하니.

보포 추기경 폐하, 저자의 매도는 참을 수가 없습니다.
폐하의 옥체를 지키기 위해 노심초사하는 충신들이
175 반역의 은밀한 칼과 광포한 행위로부터 폐하를 지키고자하고도
이렇게 비난받고, 꾸지람 듣고, 욕지거리를 듣는 마당에
범법자에게 이런 식의 발언을 허용하신다면,
폐하에 대한 신들의 열의는 식고 말 것이옵니다.

서포크 저자가 교묘한 말투이나, 비속한 말로
180 왕비마마를 이 자리에서 조롱하고 있지 않습니까?
마치 마마께서 사람을 매수하여 거짓 증언으로
저자의 높은 지위를 무너뜨리려 하기라도 했다는 것처럼 말이지요?

마가렛 왕비 패자에게도 하고 싶은 말은 하라는 거지요.

글로스터 본의보다 더 정곡을 찌르시는군. 난 정말 패자입니다.
185 승자에게 저주를, 그들이 내게 반칙을 했습니다!
그러니 이런 패자가 할 말이 많을 밖에요.

버킹엄 저자가 의미를 왜곡하고, 우리를 온종일
이 자리에 묶어 둘 셈입니다.
추기경, 저자는 당신의 죄수이니 맡아주시오.

보포 추기경 여봐라, 공작을 데려가서 철저히 감시하라.

190 **글로스터** 아, 이렇게 헨리 왕은 다리가 옥체를 받쳐줄 만큼
견고해지기 전에 지팡이를 버리시는구나.
이렇게 양치기가 폐하 곁에서 물러나고,
늑대들이 폐하를 먼저 뜯겠다고 으르렁거린다.

아, 나의 염려가 거짓이기를, 아, 정말 그렇게 됐으면!
헨리 왕이시여, 폐하의 몰락이 걱정되옵니다. 195

글로스터, 추기경 부하들과 퇴장

헨리 왕 경들, 짐이 여기에 있다고 생각하고, 경들의 지혜에 비추어
가장 좋은 쪽으로 조치를 취하거나 취소하거나 하시오.

마가렛 왕비 아니, 폐하께서는 의회를 떠나시려고요?

헨리 왕 그렇소, 마가렛, 내 가슴은 슬픔으로 가득 차서
눈에서 홍수가 쏟아져 나올 것 같소. 200
내 몸은 온통 비참함으로 둘러싸이고,
불만보다 더 비참한 것이 어디 있겠소?
아, 험프리 숙부, 숙부의 얼굴에서 나는
명예, 진실과 충성이 그려진 지도를 봅니다.
그렇지만, 험프리 공, 내가 숙부의 거짓을 인정하고 205
충성심을 의심해야 하는 때가 오다니요.
어떤 협박의 별이 숙부의 지위를 시기하기에,
이 대신들과 마가렛 왕비가
죄가 없는데도 숙부의 생명을 빼앗으려한단 말입니까?
숙부는 그들에게도, 아무에게도 해를 끼친 적 없어요. 210
그런데 백정이 송아지를 끌어내어,
그 가엾은 것을 묶고, 버둥대면 때리면서,
피투성이 도살장으로 몰아가듯,
그들은 그리도 잔혹하게 그를 끌고 가는구나.

215 그리고 어미소가 높고 낮게 음매 울며
죄 없는 새끼가 간 길을 쳐다보듯,
그리고 하릴없이 그냥 어린 송아지를 잃은 것을 슬퍼할 뿐
나 자신도 글로스터를 보며 슬피 우는구나.
슬프고도 쓸모없는 눈물을 흘리며, 흐릿한 눈으로
220 숙부의 뒷모습을 바라보며, 돕지를 못하는구나,
맹세한 원수들의 힘은 그토록 막강하니
나는 숙부의 운명을 슬퍼하리. 그리고 신음할 때마다,
말하리라, '누가 반역자인가? 글로스터, 그는 아니다.'라고.

헨리 왕, 버킹엄 공, 설즈베리 및 워릭 백작 퇴장

마가렛 왕비 고귀한 경들, 차가운 눈은 뜨거운 햇빛에 녹지요.
225 헨리 왕께서도 국가 대사에는 냉담하시며.
어리석은 연민에만 잠겨 계세요. 글로스터의 외양이
애처로운 악어가 슬픔으로 나그네의 동정심을 낚아채는 것처럼,
왕을 속이는 거예요.
아니면 뱀이 꽃피는 둑에 똬리 틀고 있다가
230 얼룩덜룩한 살갗을 빛내고서는 진짜 아름답다고
착각하는 아이를 물어버리는 것처럼.
정말이오, 경들, 내가 현명하지는 않으나—
이 문제에 관한 한 내가 옳다고 봅니다—
이 글로스터가 빨리 이 세상에서 없어져야
235 그자에 대한 우리의 두려움을 없앨 수 있어요.

보포 추기경 그를 죽여야 한다는 건 지당한 묘책입니다.
하지만 아직은 우리에게 그자를 죽일만한 구실이 부족해요.
재판을 통해 선고를 내리는 게 적당합니다만.

서포크 하지만, 내 생각에, 그건 묘책이 아닙니다.
폐하께서 그자의 목숨을 살리려고 계속 애쓰시겠지요, 240
백성들도 아마 그자의 목숨을 살리려고 봉기를 들 겁니다.
게다가 단지 사소한 혐의만 있지
의심 말고는 그를 사형에 처할만한 증거가 없지 않습니까.

요크 그럼, 그 때문에 경의 생각은 그를 죽이지 말자는 거요?

서포크 아, 요크, 나만큼 그자의 죽음을 바라는 사람은 없을 것이오. 245

요크 [방백] 이 요크야말로 그자의 죽음을 바라는 이유가 더 있단 말이지—
하지만 추기경 나리와 당신 서포크 공,
마음속을 말해주시오.
험프리 공을 왕의 섭정 자리에 앉게 한 것이
병아리들을 굶주린 솔개로부터 보호하기 위해 250
배고픈 독수리 한 마리를 세워 놓은 꼴이 아니겠습니까?

마가렛 왕비 그러면 불쌍한 병아리들은 분명 죽고말 겁니다.

서포크 마마, 바로 그렇습니다. 여우더러 양 우리를
지키라고 하는 것은 미친 짓이 아니겠습니까,
교활한 살인범으로 회부된 그가 255
살인을 아직 저지르지 않았다고 해서
그자의 죄를 어리석게도 봐주고 넘어가서는 안 될 일이죠.
아니죠—그자를 죽여야 하는 것은 여우이기 때문입니다.

여우는 그 본래 양떼의 적인 것처럼
260 험프리도, 폐하의 적으로 판명된 이상.
그 두 턱이 선홍빛 피로 물들기까지 기다릴 필요는 없어요.
죽일 방식에 대해 세세한 차이를 따질 게 아니지요.
덫이든, 올가미든, 계략이든,
잠들었을 때든 깨어 있을 때든, 방식은 상관없어요.
265 그자가 죽기만 한다면. 먼저 책략을 꾸민 자를
먼저 죽이는 것은 좋은 작전입니다.

마가렛 왕비 고결하신 서포크, 확고한 말씀이셨소.

서포크 말한 대로 실행하지 못한다면 확고한 말도 아니지요,
말은 많아도 실행하려는 생각은 드무니까요.
270 그러나 내 마음이 내 혀와 일치시키겠습니다—
폐하를 적으로부터 지키기는 것은
그 행위로가 떳떳한 일이니까요.
말씀만 하시면 그자의 임종 사제 노릇을 내가 하리다.

보포 추기경 하지만 서포크 경, 경이 사제 자격을 갖추기 전에,
275 난 그자를 바로 죽이고 싶소,
경들께서 이 일에 찬성과 승인을 해주신다면
내가 그자의 사형 집행관을 마련하겠소.
폐하의 안전이 여간 마음 쓰이는 게 아니오.

서포크 악수합시다, 이 일이 잘 이루어지도록.

280 **마가렛 왕비** 나도 동감이오.

요크 나도 그렇습니다. 그리고 이제 우리 셋이 합의했으니,

누가 우리의 결정을 문제 삼던 아무런 문제가 되지 않을 것이오.

파발꾼 등장

파발꾼 저하, 아일랜드에서 급히 달려와
보고 드립니다. 폭도들이 무장봉기했고
잉글랜드인이 살육당하고 있습니다. 285
대신분들, 상처가 깊어져 치유가 불가능해지 전에
신속히 원군을 보내 주시어 폭동을 막아 주십시오.
아직 초기이니, 구원할 희망이 충분히 있습니다.

보포 추기경 상처를 서둘러 막아야 할 텐데!
경들 이 중대한 사태를 어떻게 했으면 좋겠소? 290

요크 그리로 소머셋 경을 섭정으로 보내는 게 좋겠소.
운 좋은 지도자를 임명하는 것이 마땅하지요.
프랑스에서 경이 겪은 행운을 생각해 보시지요.

소머셋 요크가, 대단한 지략을 갖추신 요크가
나대신 그곳의 섭정이었다면, 295
프랑스에서 그리 오랫동안 머무르지는 못하셨을 거요.

요크 못하지, 당신처럼 모두 잃어버리기야 했을까.
치욕의 짐을 지고 귀국하느니
모든 걸 잃을 때가 거기에 머물다가
치욕의 짐을 집으로 가져오느니 300
차라리 내 목숨을 일찌감치 잃기를 바랐을 것이오.
경의 살갗에 상처 하나라도 있는지 어디 한 번 보여주시지.

사내 살갗이 그리 성해서야 이기기 힘든 법이니까.

마가렛 왕비 그만들 하세요, 작은 불씨도 큰 불이 될 수 있으니까.

305 바람과 기름을 가져다 불씨를 키운다면 말이죠.

그만하세요, 요크 공, 소머셋 공도요.

요크 공, 당신이 그곳의 섭정이었다면,

당신의 운은 아마 소머셋 공보다 훨씬 더 나빴을지도 모르오.

요크 다 잃은 것보다 더 나쁠까요? 에이, 그렇다면, 모두가 수치를 당하는 거지!

310 **소머셋** 그리고 그중에, 치욕을 원하는 당신도 들어 있고.

보포 추기경 요크 경, 경의 운이 어떤지 시험해 보시죠.

야만스런 아일랜드 보병들이 떼거리로

잉글랜드 병사들의 피로 대지를 적시고 있어요.

경께서 각 주에서 정예로 얼마씩 뽑은,

315 병사 무리를 이끌고 아일랜드로 가셔서

경의 행운을 아일랜드인에 맞서 시험해 보시겠소?

요크 추기경, 폐하께서 원하신다면 가겠소.

서포크 그거야, 우리의 권한이 폐하의 동의이고,

우리가 정하면 폐하께서 승인하시는 거죠.

320 그러니 고결한 요크, 이 임무를 맡아주시오.

요크 그럼 그렇게 하겠소. 경들, 내게 병사들을 징집해 주시오,

그동안 나는 내 일을 정리해야겠소.

서포크 요크 경, 그 임무는 내가 맡겠소.

허나 이제 거짓투성이 험프리 공작 얘기로 돌아갑시다.

보포 추기경 그자에 대한 얘기는 더할 것도 없소, 내가 처리하여 325
앞으로 그자가 더 이상 우리를 괴롭히는 일 없도록 할 테니.
이만 끝냅시다, 날이 거의 저물었소.
[방백] 서포크 경, 경과 나는 그 일 얘기를 해야 하오.

요크 서포크 경, 2주일 내로
병사들을 브리스톨로 보내주십시오. 330
거기서 모두 배에 싫어 아일랜드로 출항할 테니.

서포크 요크 공, 제대로 시행되도록 내가 살피겠소.

모두 퇴장. 요크는 남는다.

요크 이제, 요크, 결코 나중이란 없다, 네 무서운 생각을 단련시키고,
그리고 의심을 결심으로 바꾸어라.
네가 희망한 것을 이루지 못하면, 차라리 335
죽어버려야지, 살아서 누릴 가치가 없는 것이니.
창백한 얼굴의 두려움은 천민들 속에나 살게 하고
왕족의 마음에 숨어들지 말게 하라.
봄날의 소낙비보다 더 빠르게 생각이 생각 위로 쏟아지고,
왕위에 대한 생각뿐이로구나. 340
내 두뇌는, 집을 짓는 거미보다 더 바쁘게 움직여,
내 적들을 사로잡기 위하여 공들여 올가미의 그물을 짜는구나.
좋아, 귀족들, 잘하셨네. 교활하게 처리들 하셨군,
숱한 병사들로 보따리 싸서 나를 보내 버렸다 이거지.
당신들이 기껏 얼어붙은 뱀을 가슴에 품어 덥혀 주는 건 아닌지 345

걱정이 되는군. 그러다 이 뱀이 당신들 가슴을 물게 될 테니.
내가 부족한 건 병사들이고, 당신들이 그걸 내게 주겠지.
고맙게 받으마. 하지만 이건 분명 알아 둬라
너희들은 미친 놈 손에 날카로운 무기를 쥐어 준 거야.

350 나는 아일랜드에서 강력한 부대를 키울 것이며,
잉글랜드에 무시무시한 폭풍을 일으킬 테다,
만 명의 영혼을 천국 아니면 지옥으로 날려 버릴 것이다.
그리고 이 사나운 비바람은 계속 길길이 날뛰어
찬란한 태양의 투명한 빛처럼

355 내 머리 위에 황금 테가 놓여
이 광증이 빚어 낸 돌풍을 잠재울 때까지 말이다.
그리고 내 의지를 대신할 대리인으로,
켄트인인 완강한 애쉬포드의 존 케이드를
끌어드렸지.

360 이자에게 존 모티머라[11]는 칭호로
할 수 있는 만큼 충분히 반란을 일으키게 하는 거다.
아일랜드에서 이 완고한 케이드란 자가
홀로 경보병 떼거리와 맞서는 것을 본 적이 있는데,
어찌나 오래 싸우던지 넓적다리에 화살을 맞아

365 마치 가시가 날카로운 고슴도치 같은 꼴이었지,
마침내, 구조되자,

---

11. 리처드 2세가 제멋대로 왕위계승자로 선언한 에드워드 모티머의 사촌으로 반역을 꾀하다 1424년 처형됨.

난폭한 모리스 춤꾼[12]처럼 춤을 추고
피비린 화살들을 종 흔들 듯 흔들면서 날뛰는 것이 아닌가.
걸핏하면 거친 머리카락의 교활한 경보병처럼
그가 적과 대화를 나누었고, 370
정체를 들키지 않고, 내게로 다시 와
그자들의 고약한 계획을 알려 주었다.
이 악마가 잉글랜드에서 나를 대신하게 될 것이다,
지금은 죽고 없는 존 모티머와
생김새, 발걸음, 말투가 정말 닮았거든. 375
이 방법으로 백성들이 요크 가문과 그 권리를
어떻게 생각하는지 알게 되리라.
만일 그가 잡히고, 팔다리 늘려지고, 고문당하더라도
어떤 고통을 가하더라도
내가 시켜서 반역을 일으켰다고 불지 않을 것이다. 380
만일 그가 성공한대도, 그럴 가능성이 매우 높지만,
그때 내가 아일랜드에 강력한 병력을 몰고 와서
그 천한 놈이 뿌린 씨에서 수확을 거두는 거지.
험프리가 죽고, 죽게 되어 있으니까,
헨리를 제치면, 그 다음은 나니까. 385

퇴장.

12. 모리스 춤은 주로 5월제에 남성들이 추는 잉글랜드의 오래된 춤이다.

2장

글로스터의 침실 및 그에 인접한 국무실

막이 열려 있고, 침대에 누운 글로스터 공작 험프리와, 공작의 가슴을 눌러 질식사시키는 두세 명의 사내가 등장

첫 번째 살인범 서포크 공께 달려가 알려 드려야지,
명받은 대로 공작을 해치웠다고.
두 번째 살인범 오 그 일을 하다니! 우리가 무슨 짓을 저지른 거지?
그토록 참회하는 사람을 들어본 적 있어?

서포크 공작 등장

5 **첫 번째 살인범** 저기 우리 나리가 오신다.
서포크 그래, 여보게들, 그 일을 처리했는가?
첫 번째 살인범 예, 나리, 그자는 죽었어요.
서포크 그래, 잘했구나, 가라, 내 집으로 가 있어.
이런 위험한 일을 해 주었으니 보답을 해야지.
10 폐하와 모든 귀족들이 곧 이리로 오실 게야.
침대 정리는 잘 해두었겠지? 내가 지시한 대로,
모든 걸 잘 처리했겠지?
첫 번째 살인범 했습니다. 나리.

서포크 가라, 사라져! [살인자들 퇴장]

나팔 소리. 헨리 왕과 마가렛 왕비, 보포트 추기경, 서머싯 공작, 그리고 시종들 등장.

헨리 왕 당장 가서 짐의 숙부를 오시라 하오. 15
공표된 대로, 숙부가 유죄인지 아닌지를
오늘 짐이 심문하려고 하오.
서포크 폐하, 곧 불러오겠나이다. [퇴장]
헨리 왕 경들, 자리에 앉으시오, 내 간청컨대,
짐의 숙부 글로스터에게 엄히 추궁할 것은 20
진실된 증거, 믿을 만한 증거가 있어
그 분의 유죄를 증명할 수 있는 대목뿐임을 명심해 주오.
마가렛 왕비 신이시여 악의가 승리를 거두어
죄 없는 고귀한 분에게 유죄 선고 내리지 않으시기를!
그 분이 혐의를 벗을 수 있도록 하느님께 기도드립니다! 25
헨리 왕 고맙소, 메그.[13] 그 말 들으니 매우 기쁘오.

서포크 등장

무슨 일이오? 왜 얼굴이 창백하지? 왜 몸을 떠는 것이오?
숙부는 어디 계시오? 무슨 일이오, 서포크?
서포크 침대에서 운명하셨습니다. 폐하, 글로스터 공께서 돌아가셨어요.

---

13. 마가렛의 애칭

30 **마가렛 왕비** 어머나, 하느님 맙소사!

보포 추기경 하느님의 은밀한 심판이시오. 내 어젯밤 꿈에

공작께서는 입을 다물고 벙어리라 한 마디 말도 못하셨습니다.

헨리 왕이 기절한다.[14]

마가렛 왕비 폐하 괜찮으세요? 도와주오, 경들, 폐하께서 돌아가셨소!

소머셋 몸을 일으키시어 코를 비트십시오.

35 **마가렛 왕비** 뛰어, 어서, 도와줘요, 도와줘! 오 헨리, 눈을 떠요!

서포크 다시 소생하십니다. 마마, 고정하소서.

헨리 왕 오 하늘에 계신 하느님!

마가렛 왕비 폐하, 괜찮으세요?

서포크 기운을 차리십시오, 폐하, 기운 내십시오!

40 **헨리 왕** 뭐라, 서포크 경이 내게 기운을 주는가?

방금 전 와서 갈까마귀 울음소리를 내어

그 불길한 울음이 나의 생명력을 앗아갔는데,

그러고도 굴뚝새 소리를 지저귀며

기운 내라고 마음에도 없는 소리를 외쳐대면

45 처음 들었던 그 소리를 쫓아낼 수 있다고 생각하는가?

그런 감언이설로 그대의 독을 숨기지 마오.

이 몸에 손대지 마오—거두라니까!

---

14. 헨리 6세는 1453년 8월, 원인불명의 병으로 쓰러져, 17개월간 침상에 누워있었다. 이듬해 12월에 회복했지만, 그 기간의 기록은 전혀 없었다고 전해진다. 셰익스피어는 이런 식으로 헨리 6세의 병을 암시하고 있는 것으로 볼 수 있다.

그대 두 손은 독사의 독침처럼 나를 두렵게 한다.
끔찍한 전령아, 내 눈앞에서 꺼져라!
네 눈동자 위에 살인의 폭정이 앉아 50
세상을 소름끼치는 위엄으로 겁에 질리게 하는구나.
나를 보지 마라, 너의 두 눈은 독살하는 눈이다.
물러나지 마라, 오라, 바실리스크,
너의 눈초리로 죄 없이 쳐다보는 나를 죽여라.
나는 죽음의 그림자 속에서 기쁨을 찾을 것이니 55
글로스터가 죽었으니, 삶이 두 배의 죽음이로다.

마가렛 왕비 왜 서포크 경을 이리도 꾸짖으십니까?
공작이 자신의 적이었으나, 경께서는
공작의 죽음을 매우 기독교인답게 애도하십니다.
그리고 저에게도 공작이 적대자였으나, 60
억수 같은 눈물이나, 가슴을 저미는 신음 소리나,
피를 짜는 한숨 소리가 공작의 목숨을 되살릴 수 있다면,
저는 눈이 멀도록 울고, 신음으로 병이 들어,
얼굴이 피 말리는 한숨으로 앵초처럼 창백해져도 좋아요.
이 모든 게 그 고결한 공작을 살리기 위해서입니다. 65
세상이 저를 어떻게 판단할지 제가 알겠습니까?
공작과 제가 불화가 있다고 알려진 게 사실이니.
제가 공작을 죽였다고 생각할지도 모르죠.
그렇게 제 이름은 중상모략의 혀에 상처 받고
군주들의 궁정은 저를 비난하는 소리로 가득 차고 말 거예요. 70

공작의 죽음으로 이런 걸 내가 얻게 되겠죠. 아, 불행하도다!
왕비가 되어 오명의 관을 쓰다니.

헨리 왕 아, 슬프도다, 글로스터, 가여운 분!

마가렛 왕비 공작보다 제가 더 가엾으니 저 때문에 슬퍼하세요.

75 아니, 당신 고개를 돌리고 외면하시는 거예요?
전 역겨운 문둥이가 아니라고요—저를 보세요!
아니, 당신, 독사처럼, 귀가 머셨어요?
독까지 품고 폐하의 버림받은 왕비를 죽이시구려.
당신의 모든 위안이 글로스터의 무덤에 갇힌 거요?
80 그렇다면 마가렛 왕비는 당신 기쁨이 아니었구려.
공작의 동상을 세우고 숭배하세요,
그리고 내 모습은 여인숙 간판 밖에 안되겠네요.
제가 이러려고 바다에서 배가 난파당할 뻔하고
심술궂은 역풍을 만나 두 번이나 잉글랜드 해변에서
85 다시 제 고국 땅으로 밀려나면서 이곳까지 왔던가요?
이게 어찌된 일인가요, 하긴 정확히 경고하는 바람이
'찾지 마라 전갈의 둥지를 찾지 말고,
이 무정한 해변에 발을 들여놓지도 마라.'하고 불었나봅니다.
그런데 그 때 저는 친절한 돌풍을 저주하고
90 단단한 동굴에서 이 돌풍을 불게 바람신을 원망하며,
축복받은 잉글랜드 해변 쪽으로 불어라
아니면 배 키를 돌려 끔직한 암초에 부딪치게 하던가 하고 외쳤지 뭡니까.

하지만 바람의 신 에올루스가 살인을 저지르지 않고
그 혐오스런 일을 폐하께 맡겼군요.
소용돌이치는 바다도 절 빠뜨리지 않았는데 95
폐하의 매정한 마음 때문에 흘린 바닷물처럼 짠
눈물로 찬 해변에 빠져 죽을 것을 알았던 거죠.
배를 산산조각 내는 암초도 모래 속으로 웅크렸지요,
울퉁불퉁한 측면으로 날 내동댕이치지 않으려고 말이죠,
궁정에서 암초보다 더 단단한 폐하의 냉혹한 가슴이, 100
마가렛을 죽일 걸 알았으니까요.
태풍 때문에 배가 영국 해안에서 밀려났을 때
폐하의 백악 절벽을 식별할 수 있을 때까지,
저는 갑판의 폭풍우 속에 서 있었답니다,
그리고 하늘이 어두워져 열심히 바라보는데도 105
폐하의 땅이 보이지 않게 되었을 때,
저는 비싼 보석을 목에서 풀러—
하트 모양이었죠, 둘레를 다이아몬드로 장식한 하트모양이었어요—
이 나라를 향해 그걸 던졌지요, 바다가 그것을 받아들이자,
폐하의 몸이 제 마음을 받을 수 있기를 바랐어요. 110
그러고도 저는 아름다운 잉글랜드의 아름다운 모습을 볼 수 없자,
제 두 눈에게 제 마음과 함께 가버리라고 외쳤으며,
고대하던 알비온 해변을 보지 못하는 눈이니
두 눈을 장님과 다름없는 어스레한 눈알이라고 불렀답니다.
폐하의 사악하고 변덕스러운 대리인— 115

서포크의 혀를 제가 얼마나 여러 차례 부추겼는지 모릅니다.
아스카니우스가 그랬듯이, 앉아서 넋을 잃고 이야기를 들었어요.
그가 사랑으로 미쳐 가는 디도에게 얘기해 주잖아요.
불타는 트로이를 시작으로 제 아버지 이니아스의 행적을!
제가 디도처럼 황홀하지 않으신가요? 아니면 폐하께서 이니아스
120 처럼 변심한 거죠?
아, 저는 끝났어요! 죽어 버리자 마가렛,
제가 이렇게 오래 사니 헨리 왕이 울고 계시는 거군요.

안에서 시끄러운 소리, 워릭 및 솔즈베리 백작, 많은 평민들과 함께 등장

워릭 폐하, 들은바
서포크와 보포트 추기경의 계략으로
125 험프리 공작께서 위협적으로 피살되었답니다,
평민들이, 지도자도 없이, 벌집 쑤셔 놓은 듯,
성난 벌 떼처럼 이리저리 흩어져
공작의 복수로 마구잡이로 찔러대고 있습니다.
공작 죽음에 대한 내용을 들을 때까지만 참으라고
130 제가 나서서 저들의 성난 폭동을 진정시켰습니다.
헨리 왕 워릭 백작, 공작이 돌아가신 건 자명한 사실이오만,
어떻게 죽었는지는 하느님이 아시오, 헨리는 알 수 없소.
공작의 방으로 들어가서, 숨이 끊어진 시신을 살펴보고
급사한 이유를 말해주시오.
135 **워릭** 폐하, 거행하도록 하겠습니다, 아버님, 제가 돌아올 때까지,

난폭한 군중을 막아주십시오.

한쪽 문으로 워릭 퇴장. 다른 쪽 문으로 솔즈베리와 평민들 퇴장.

헨리 왕 오 만물을 주관하시는 신이시여, 제 생각을 막아 주소서.
어떤 난폭한 손이 험프리 공의 목숨을 앗아갔다고
내 영혼을 설득하려는 생각을 하니
제 의심이 틀렸다면, 하느님 저를 용서해 주십시오. 140
판단은 오로지 당신만이 하는 것이니까요.
저는 기꺼이 가서 숙부의 창백한 입술에 2만 번 입맞춤하여
따뜻하게 해드리고, 그분의 얼굴에
눈물의 짠 바닷물이 쏟아지게 하고,
말하지도 듣지도 못하는 시신에 내 사랑을 전하고, 145
내 손가락으로 그분의 느낌 없는 손을 느끼고 싶사옵니다.
하지만 이 하찮은 장례 의식은 모두 부질없나이다,
죽어서 흙으로 돌아가신 숙부의 모습을 본들,
내 슬픔이 더 커지는 것 말고 무슨 소용이겠습니까?

침대로 향한다. 워릭 등장.

워릭 폐하, 이리 오셔서 이 시신을 보소서. 150

커튼을 젖히자, 침대에 눕혀져 있는 글로스터의 시신이 보인다.

헨리 왕 그건 내 무덤이 얼마나 깊이 파였는가를 보는 것 같소.

내 세상의 위안이 숙부의 영혼과 함께 모두 날아갔으니,
시신을 보는 것은 죽은 나의 모습을 보는 것이오.

워릭 제 영혼은 신의 노여운 저주에서 우리를 구원하시려고
155 우리를 대신해 수난하신 그리스도와 함께
살고자 하시는 것만큼
고매하신 험프리 공의 생명을
난폭한 손이 살해한 것이 틀림없음을 믿나이다.

서포크 무시무시한 맹세로다, 엄숙한 말투로 맹세를 하는군!
160 워릭 경은 자신의 맹세에 어떤 증거를 제시하겠소?

워릭 그분의 얼굴에 피가 얼룩진 것을 보시오.
내가 여러 차례 자연사한 자들을 보았는데
얼굴색이 재 같고, 빈약하고, 창백하고, 핏기가 없었소,
피가 모두 고동치는 심장 속으로 빨려들어 간 거지.
165 심장은, 죽음과 싸우며,
지원군으로서 모든 피를 적에 맞서 끌어당기거든.
피는 심장과 함께 차가워지고, 다시 돌아와서
뺨을 다시 붉고 아름답게 물들이지 않는단 말이오.
그러나 보시오, 그의 얼굴은 검고 피가 가득하지,
170 눈알은 그가 살았을 때보다 더 튀어나왔고,
목 졸린 사람처럼 소름끼치게 쳐다보고 있잖소.
머리털은 곤두섰고, 콧구멍은 기를 쓰느라 넓어졌소,
두 손은 목숨을 움켜쥐고 잡아당기려 했으나
힘에 눌려 펼쳐져 있소.

보시오, 이불에는 보다시피 머리카락이 붙어 있고, 175
잘 다듬은 턱수염은 거칠고 울퉁불퉁해졌고,
폭풍에 쓰러진 여름 곡물처럼 말이오.
공작은 이 자리에서 살해당한 게 확실하오,
이런 사실들이 하찮은 거라도 충분한 증거가 되요.

커튼을 닫는다.

서포크 아니, 워릭, 도대체 누가 공작을 죽였단 말이오? 180
나와 보포트 추기경이 공작을 보호했는데,
설마 우리가 살인자라는 소리는 아니실 테고.

워릭 하지만 두 분은 험프리 공작의 적이라 하셨잖소.
두 분이 공작님을 감시하셨으니.
그분을 친구처럼 연회를 베풀어 주셨을 거 같지는 않고 185
누가 보아도 그 분은 적과 마주치게 된 것인데.

마가렛 왕비 그렇다면 경은 험프리 공작의 때 아닌 죽음이
두 경들에게 혐의가 있다고 의심하시는 거 같군요.

워릭 어린 암소 한 마리가 죽어 선혈을 흘리는 중이고
그 옆에 백정이 도끼를 들고 서 있다면, 190
그가 도살한 것이라고 누가 의심치 않겠소?
솔개 둥지 속에 메추라기를 본 사람은
그 솔개의 부리에 피가 묻지 않은 채 높이 난다 해도
당연히 그 새가 어떻게 죽었는지 상상할 수 있지 않은가요?
이 비극은 그와 같이 의심스러운 겁니다. 195

마가렛 왕비 서포크 경, 경이 백정인가요? 칼은 어디 있죠?
보포트 추기경이 솔개라고요? 발톱은 어디 있소?

보포트 추기경, 서머싯 공과 신하들 퇴장.

서포크 저는 자는 사람을 죽이는 칼은 안 갖고 다닙니다.
하지만 여기 복수의 칼은 있소, 쓰지 않아 녹슬었지만,
200 저자가 나를 살인의 피 묻은 휘장으로 중상모략하고 있으니
저자의 악의적인 심장에 꽂혀 녹을 씻게 될 것이오.
오만한 워릭 경, 감히 나서겠다면, 말해 보라,
험프리 공작을 죽인 것이 나라고 말이지.
워릭 거짓된 서포크가 감히 대든다면 워릭이 무얼 겁낼까?
205 **마가렛 왕비** 저자가 감히 오만방자를 숨기지 않는구나,
서포크가 2만 번은 경고했을 텐데도.
거만한 중상모략도 그치지를 않으니.
워릭 마마, 황공하오나 말씀을 삼가십시오.
서포크를 위해 내뱉는 마마의 말 한 마디 한 마디가
210 마마의 위엄에 중상모략이니까요.
서포크 어리석은 놈, 무식하게 놀아나는 귀족!
지금껏 어느 부인이 자기 남편을 저토록 모욕했다면,
그건 바로 네 어미며, 그녀의 못된 침대에
어떤 뻔뻔하고 무식한 시골뜨기를 끌어들여 그 고결한 줄기에
215 야생 사과나무 가지를 접붙이니, 거기서 열린 열매가 네놈인 게야,
너야말로 네빌 가문의 고결한 혈통일 리가 없지.

워릭 살인죄가 네게 방패 노릇을 해주고,
내가 자객한테 그 죄를 물어야 하니,
네가 1만 가지 치욕에서 일단 벗어나려고 하니 그렇지.
여기는 폐하 어전에서 칼을 뽑을 수 없으니 그렇지, 220
아니라면, 거짓투성이 살인범 겁쟁이 놈아, 널 무릎 꿇려
네가 방금 한 말에 대해 용서를 빌게 만들었을 게다,
네가 한 일은 모두 네 어미가 한 일이라고 말하게 했을 터,
네놈 자신이야말로 바로 애비 없는 자식이라고!
그리고 이 모든 겁쟁이 고백이 끝나면, 225
보답으로 네놈 영혼을 지옥으로 보내주겠다,
잠든 사람의 피를 빨아 먹는 잔악한 살인자야!

서포크 네가 감히 나와 함께 어전을 물러난다면.
네놈이 깨어 있어도 네놈의 피를 흘리게 해주마.

워릭 가자, 지금 당장, 너를 질질 끌고라도 나가겠다. 230
네놈이 상대할 가치도 없지만, 내가 상대해 주마.
험프리 공작의 영혼을 충성을 바칠 테다.

서포크와 워릭 퇴장

헨리 왕 결백한 가슴만큼 더 강한 가슴받이가 있겠는가?
정당한 싸움을 하는 자가 삼중으로 무장을 한 것이다.
양심이 불의로 썩은 자는. 235
강철로 몸을 둘렀어도 벌거벗은 거나 다름없다.

안에서 외친다. [평민들이 서포크 타도! 하고 외친다.]

마가렛 왕비 이게 무슨 소리요?

서포크와 워릭 등장, 둘 다 칼을 뽑았다.

헨리 왕 아니, 경들? 짐의 안전에서
분노의 검을 뽑은 게요? 어찌 그리도 그리 무엄한가?
240 아니, 저 시끌벅적한 소리는 무엇이냐?
서포크 반역자 워릭이 베리 시민들과 합세하여
저를 습격했사옵니다, 폐하!

설즈베리 등장 [평민들이 서포크 타도! 서포크 타도! 하고 다시 외친다.]

설즈베리 [진입하려는 평민들에게]
이보시게들, 물러나 있게, 폐하께 자네들 뜻을 전할 테니.
폐하, 평민들이 저를 통해 전해 온 바
245 서포크 경을 즉시 사형에 처하시거나
아름다운 잉글랜드 영토에서 추방하지 않으신다면,
저들이 폭력으로 서포크를 폐하 궁정에서 끌어내어
그자에게 험한 고통을 가하다가 죽인다고 하옵니다.
그자 때문에 선량한 험프리 공작이 돌아가셨고,
250 폐하도 죽일까 봐 염려스럽다 하옵니다.
폐하의 뜻을 거스르려는
완고한 반항심과는 전혀 무관하게,

오직 폐하에 대한 사랑과 충성심 때문에
저들이 이렇게 서포크의 추방을 요구하는 것이라 합니다.
저들은 소중한 폐하의 옥체가 염려되어 이렇게 말합니다. 255
폐하께서 주무시려고 할 때,
내 잠을 방해하는 자는
괘씸히 여겨 사형에 처할 것이라고
엄명을 내리신다 해도
혓바닥 갈라진 독사 한 마리가 260
폐하를 향해 음흉하게 기어드는 것을 발견할 때엔,
폐하를 깨우는 것이 당연하다고들 합니다.
위험한 잠을 계속 주무시게 두었다가는,
그 치명적인 뱀 때문에 영원한 잠에 드실지도 모른다고요.
그러므로 폐하께서 금하시더라도, 저들이 외칩니다, 265
거짓된 서포크 같은 잔혹한 독사로부터
폐하의 뜻이든 아니든 간에 폐하를 지켜 드리겠다고요,
독이 묻어 치명적인 그의 침으로,
폐하의 사랑하는 숙부, 그자보다 스무 배나 가치 있는 분이,
수치스럽게 목숨을 잃으셨다고 군중들이 말하고 있습니다. 270

평민들 [안에서] 설즈베리 나리! 폐하의 답변을 말씀해주시오!

서포크 무례하고 교양 없는 촌것들 같으니라구,
그러니 이 따위 전언을 폐하께 보내지,
하지만 경께서는, 능숙한 연설가임을
과시하시느라 이 일을 즐겁게 맡고 계시다니. 275

그러나 경이 얻은 명예는 기껏
땜장이들이 폐하께 국왕께 파견한
대사 나리에 불과한 거요.

평민들 [안에서] 폐하의 답변이 없으시면 우리 쳐들어가겠소!

280 **헨리 왕** 설즈베리 경, 가서 그들에게 내 말을 전하시오
내가 그들의 진심어린 염려에 감사하며,
그들이 그리 촉구하지 않았더라도,
내가 그들의 간청대로 실행하려 했다고 말이오.
서포크의 계략으로 국가에 빚어질 재앙을,
285 내 생각이 매 시간 예언해 주고 있음이오.
그러므로 짐이 하찮으나, 그 분의 대리인이 나이기에,
하느님의 이름으로 내 맹세하오,
서포크는 사흘 이상 이 나라에 머물며
공기를 오염시키지 말 것이며, 이를 어기면 사형에 처할 것이다.

설즈베리 퇴장

290 **마가렛 왕비** 오 헨리, 제게 고결한 서포를 위한 탄원을 허락해 주소서

헨리 왕 그를 고결한 서포크라고 하다니, 당신은 고결하지 않은 왕비로다,
그만하오, 어명이오! 당신이 정말 그를 위해 탄원한다면
나의 분노를 돋울 뿐이요.
말을 한 이상, 나는 그 말을 지키는 사람이오.
295 신을 두고 맹세한 이상, 돌이킬 수 없소.
사흘의 기간이 지난 후에도 그대가

어디든 나의 영토에서 발견된다면,
세상을 다 주어도 그대의 몸값이 되지 못하리로다.
자, 워릭 갑시다, 워릭, 충실한 워릭, 나와 함께 가자.
경에게 이야기할 중대한 일이 있으니. 300

마가렛 왕비와 서포크만 남고 모두 퇴장.

마가렛 왕비 불행과 슬픔이 당신을 따라다녀라!
마음의 불만과 가슴 저미는 역경이
당신의 놀이친구가 되어 따라다녀!
그렇게 둘에, 악마가 세 번째가 되어
세 겹의 앙갚음이 당신 발걸음마다 따라붙기를! 305

서포크 고결하신 왕비, 저주는 그만두시오,
그리고 서포크가 슬픈 작별을 하게 두시오.

마가렛 왕비 이런, 겁쟁이 여인네 같으니라구, 의지가 약한 사람!
당신은 당신의 적을 저주할 용기도 없나요?

서포크 염병할 놈들! 내가 저놈들을 저주해야 뭣 하오? 310
흰독말풀의 뿌리를 잡아 뽑을 때 신음하는 소리처럼[15]
저주로 사람을 죽일 수 있다면,
듣기에도 끔찍하고 무서운 저주와 같은 매서운 말을 만들어서
역겨운 동굴에 사는 말라빠진 증오의 여신처럼
온갖 증오의 표정을 얼굴에 가득 보이며 315

---

15. 흰독말풀은 뿌리가 두 갈래로 나뉘어져 인체에 비유되고, 뽑을 때 사람의 비명 소리와 같은 소리가 난다고 한다.

이를 갈며, 맹렬한 독설을 퍼부을 겁니다.
내 혀가 강렬한 독설을 퍼부어 잘 돌지 않고,
내 눈은 부딪친 부싯돌처럼 불꽃이 튀고,
내 머리카락은 미친 듯이 곤두설 것이오,
320 모든 관절이 저주하고 악담을 퍼붓는 것처럼 보일 것이며
그리고 지금도, 무거운 내 가슴은 저들을 저주하지 않으면
터져버리겠지! 저놈들이 마시는 건 독이어라!
담즙, 담즙보다 더 쓴 것이, 저놈들의 맛보는 최고 진미성찬이리라!
저들이 쉬는 가장 상쾌한 그늘은 무덤가의 삼나무 숲이거라!
저들이 보는 가장 최고의 볼거리는 살인을 저지르는 바실리스크
325 이거라!
저들이 느끼는 가장 부드러운 촉감은 도마뱀의 독침처럼 날카롭기를!
저들이 귀에 들려오는 음악 소리는 뱀이 쉭쉭거리는 끔찍한 소리 같고
악사들은 불길한 비명을 지르는 부엉이 떼이어라!
어둠에 자리 잡은 지옥의 온갖 불결한 공포가—

330 **마가렛 왕비** 그만, 서포크, 자학하지 마세요,
이 끔찍한 저주들이, 거울에 비친 태양처럼,
또는 화약을 지나치게 넣은 대포처럼 되튀어
당신에게 그 힘을 발휘할거에요.

서포크 아까는 내게 저주하라 해 놓고는, 이젠 멈추라고요?
335 지금 내가 추방된 이 땅을 걸고 맹세컨대

저주로 거뜬히 겨울밤을 보낼 수 있소,
살을 에는 추위로 풀하나 나지 않는 산봉우리에,
알몸으로 서서, 겨울밤을
장난치며 1분을 보냈구나 생각하며 말이지요.

마가렛 왕비 오 제발 그만하세요. 제게 당신 손을 주세요, 340
그 손을 슬픔의 눈물로 적실 수 있도록
[그의 손바닥에 입을 맞춘다.]
하늘의 비가 이곳을 적시더라도
내 슬픔의 표식을 씻어 내지 못하게 하시고요
오, 이 입맞춤이 당신 손에 새겨질 수 있다면,
당신이 그것으로 이 입술을 생각할 수 있다면, 345
천 번 한숨이 당신을 위해 새어 나올 그 입술 말이에요.
자 이제 가셔요, 그럼 나도 나의 슬픔을 알 수 있겠지요.
경이 이 곳에 서 계시면, 마치 포식한 자가 배고픈 자를
생각하는 것처럼 내 슬픔을 생각만 할 뿐이겠지요.
제가 곧 당신을 불러들이겠어요. 그렇게 못하면 350
저도 추방될 위험을 무릅쓰겠어요.
당신과 떨어져 있는 것만으로도 저는 추방된 셈이죠,
가셔요, 제게 말씀 마시고 지금 당장 가세요!
오, 아직 가지 마셔요. 죄를 선고받은 두 친구가 이렇게
포옹하고, 입 맞추고, 만 번의 작별을 한답니다, 355
이별을 죽기보다 백 배 더 싫어하면서.
그렇지만 이제 작별합시다, 그리고 당신과 함께 했던 삶도 안녕.

서포크 이리하여 불쌍한 서포크는 열 번을 추방당하오—
한 번은 왕 때문에, 그리고 나머지 아홉 번은 당신 때문에.
360 당신이 거기 있다면, 내가 상관하는 것은 이 나라가 아니오.
서포크는 천사와 같은 당신과 같이만 있다면,
황무지라도 사람 많은 곳과 같습니다.
당신이 있는 곳이 바로 갖은 기쁨들을 골고루 갖춘
세계 자체이며,
365 그대가 없는 곳은, 폐허요.
더 이상 못하겠소. 즐겁게 지내시오.
그대가 살아 있음이 내 유일한 기쁨이오.

보 등장

마가렛 왕비 보, 어디로 그리 서두르는가? 무슨 일인지 말해주겠느냐?
보 폐하께 아뢰러 가는 중입니다,
370 보포 추기경께서 위독하시다고요.
급작스레 중병에 걸리셔서
숨이 차서 헉헉대고, 뚫어져라 쳐다보고, 허공을 잡으며,
하느님을 모독하고 지상의 인간을 저주하고 계십니다.
어떤 때는 마치 험프리 공작의 유령이 곁에 있는 듯
375 헛소리를 하시는가 하면, 어떤 때는 폐하를 부르시고,
폐하께 하듯 베개에 대고 짓눌리는 자기 영혼의 비밀을
속삭이시는 듯합니다.
지금도 울부짖으며 폐하를 찾으시기에

폐하께 아뢰기 위하여 제가 왔습니다.

마가렛 왕비 가서 폐하께 이 비보를 전해드려라— [보 퇴장] 380

아아! 세상이 왜 이렇다 말인가? 이게 무슨 날벼락인가?

하지만 왜 내가 얼마 남지 않은 사람의 죽음을 슬퍼하는 걸까,

내 영혼의 보물인 서포크의 추방을 잊어버리고서?

왜 오로지, 서포크, 당신만을 위해 내가 애도하고,

비 내리는 남쪽 구름과 눈물로 겨루지 않는 걸까요— 385

이쪽은 대지를 비옥하게 하기 위해서고, 나는 슬픔만을 위해서겠죠?

이제 떠나세요. 아시다시피, 왕이 오십니다.

내 곁에 있는 게 발각되면, 당신은 죽는 거예요.

서포크 당신과 헤어지면, 난 살 수 없소.

그리고 당신을 보며 죽는 것이야말로 390

당신 무릎을 베고 편안히 잠드는 게 아니겠소?

여기서 내 영혼을 하늘로 내보낼 수 있다면,

온순하고 부드러운 요람 속에 있는 아이가

입술에 어머니 젖꼭지를 문 채 죽는 것처럼,

당신이 없는 곳에서 죽는다면, 나는 미쳐 날뛰고, 395

당신이 내 눈을 감겨 달라고,

당신 입술로 내 입을 막아 달라고 소리치겠지요.

그리하여 당신이 날아가는 내 영혼을 불러들여

당신 몸속으로 불어넣어 준다면,

내 영혼은 극락에서 사는 것이오. 400

당신 곁에서 죽는 것은 즐겁게 죽는 것이지만

당신을 떠나 죽는 것은 죽음보다 더한 고통일거요.

오, 무슨 일이 벌어지든 벌어지라하고 옆에 있게 해주오!

마가렛 왕비 이별은 고통스러운 요법이지만

405 치명적인 상처에 쓰이는 것이니

프랑스로 가셔요, 나의 서포크, 제게 소식을 주세요.

당신이 이 세계의 지구 어느 곳에 계시더라도

나는 무지개의 여신 아이리스를 시켜 당신을 찾아낼 것입니다.

가세요!

410 **서포크** 가리다.

마가렛 왕비 제 마음과 함께 가져가시고요.

그녀가 그에게 입을 맞춘다.

서포크 가치 있는 것을 담은

이제껏 가장 비통한 함에 갇힌 보석,

두 동강 난 배와도 같이, 그렇게 우린 헤어지오—

415 나는 이쪽, 죽음의 길로.

마가렛 왕비 저는 이쪽으로.

따로따로 퇴장

3장

추기경의 침실, 런던

헨리 왕과 설즈베리 및 워릭 등장. 그런 다음 커튼이 열리면 침대에 미친 것처럼 헛소리를 지껄이고 뚫어져라 쳐다보는 추기경이 드러난다.

헨리 왕 경, 괜찮으시오? 말을 해보오, 보포, 이 폐하에게.

보포 추기경 당신이 죽음의 신이시라면, 잉글랜드의 보물을 드리겠소,
이런 섬 또 하나를 충분히 살 수 있을 만큼 드리겠으니,
이렇게 고통을 느끼지 않게 절 살려 주시오.

헨리 왕 아, 다가오는 죽음이 그리 끔직해 보인다면 5
사악한 삶을 살아 온 증거로구나!

워릭 보포, 폐하께서 그대에게 말씀하시는 것이오.

보포 추기경 날 재판하려면 하라 그러시오.
그자는 침대에서 죽지 않았나? 어디서 죽었다는 거야?
그들이 좋든 싫든 내가 사람을 살릴 수 있나? 10
오, 자백하겠으니, 나를 더 이상 고문하지 마세요.
다시 살아났다고? 그렇담 어디 있는지 그잘 보여주시오.
그자를 보여주면 천 파운드를 주지.
두 눈이 없군! 먼지가 눈을 가렸나 보오.
머리카락을 빗질해야지. 봐라, 봐. 곤두섰어, 15
날개 달린 영혼을 잡기 위해 끈끈이를 발라 놓은 나뭇가지처럼.

그리고 약종상에게 일러서 마실 것을 좀 주오,
내가 사 둔 그 강력한 독약을 가져오라고 해요.

헨리 왕 오 천체의 운행을 주관하시는 영원한 하느님이시여,
20 온화한 눈으로 이 불쌍한 이를 굽어 살피소서.
오, 가여운 이의 영혼을 강하게 막고 모진 고통을 주는
적들을 물리쳐 주시옵소서,
그리고 그분의 가슴에서 이 깜깜한 절망을 씻어 주소서.

워릭 보십시오, 죽음의 고통으로 그가 이빨을 드러내고 있습니다.

25 **설즈베리** 방해하지 말고 평안하게 가시게 두어라.

헨리 왕 신의 은총으로 그의 영혼을 평안하게 하소서.
추기경, 하늘의 축복을 생각하신다면,
손을 들어, 그대 희망의 신호를 보여요.
[보포가 죽는다.]
기도도 하지 않고 그가 죽는다. 오 하느님, 용서하소서.

30 **워릭** 흉한 죽음은 악하게 살아온 삶의 증거이옵니다.

헨리 왕 판결을 삼가세요, 우리 모두 죄인이니까요.
눈을 감겨 주고 커튼을 쳐라,
모두 기도합시다.

모두 퇴장

4막

1장

켄트 주의 해안

나팔 소리. 해전. 대포소리.

함대장, 변장한 서포크, 죄수, 선장, 선장의 조수, 월터 휘트모어와 죄수인 두 신사 그 밖에 다른 사람들 등장

함대장 밝고, 모든 걸 드러내며 자책하는 낮이
바다의 품속으로 기어들어가 버리니,
이제 크게 울부짖는 늑대들이
절망적이고 암울한 밤을 이끄는 용마들을 깨운다.
5 용마들은, 졸린 듯 느리고 축 늘어진 날개로
죽은 자들의 무덤을 껴안고, 안개가 피어오르는 턱 끝으로
독하고 더러운 어둠을 공중에 내뿜는다.
그러니 전리품인 병사들을 데려와라,
우리의 작은 배가 다운스에 정박하는 동안
10 모래 위에 놈들의 몸값을 놓게 하든지,
놈들의 피로 이 해변을 물들이든지 둘 중 하나다.
선장, 이 포로를 [첫 번째 신사를 가리키며]
무상으로 당신께 주리다,
그리고 조수, 이자는 내 몫이다.
[두 번째 신사를 가리키며]

저자는 [서포크를 가리키며]

월터 위트모어, 당신 몫이오.

첫 번째 신사 내 몸값이 얼마요, 선장, 말해 주시오. 15

선장 천 크라운이다, 싫으면 네놈 목을 내놓든가.

조수 네 놈도 같은 액수를 내야 해, 싫으면 네 놈 목도 날아간다.

함대장 뭐야, 2천 크라운이 많다는 거야,

그러고도 네놈들이 신사랍시고 거들먹거려?

휘트모어 두 놈 모두 목을 잘라라! [서포크에게] 넌 죽어야 하거든. 20

함대장 전쟁에서 우리가 잃은 사람들 목숨에 비하면

보상으로는 턱없이 적은 액수다.

첫 번째 신사 내놓겠소, 그러니 목숨만은 살려주십시오.

두 번째 신사 나도 내놓겠소, 집에 당장 편지를 써야지.

휘트모어 [서포크에게] 배에서 이놈과 싸우다 눈 하나를 잃었다. 25

그래서 복수로 네놈을 죽여야겠다.

내 뜻대로 할 수 있다면 저 두 놈도 죽이는 거다.

함대장 그렇게 화내지 말고, 몸값을 받고 살려주라구.

서포크 내 조지 훈장을 봐라, 나는 신사다.

[훈장을 보인다]

원하는 대로 몸값을 말하면 반드시 지불하겠다. 30

휘트모어 나도 신사요, 내 이름은 워터 휘트모어다.

왜 그러느냐? 왜 놀라는 게야? 죽음이 두려운 게냐?

서포크 당신 이름 때문에 질겁하오, 그 소리는 곧 죽음이니.

한 점성술사가 내 운세를 점치고는,

35 내가 '워터', 물로 죽게 될 거라 일러주었소.
그렇다고 잔인한 마음은 먹지 마오.
당신 이름은 정확히 발음하면 골티어요,

휘트모어 골티어건, 워터 난 상관하지 않아.
하지만 어느 놈이든 가문의 이름에 비열한 불명예를 씌우면
40 이 칼로 더러운 얼룩을 씻어냈지.
그러니, 장사꾼처럼 내가 몸값으로 복수를 팔아치운다면,
내 칼을 부러뜨려도, 가문의 문장을 찢어 뭉개도,
나를 겁쟁이라고 온 세상에 널리 알려도 좋다.

서포크 멈추시오, 위트모어, 당신의 포로인 나는 왕족이다.
45 서포크 공작, 윌리엄 드 라 폴이요.

[누더기 옷을 벗는다.]

휘트모어 서포크 공작이 누더기를 뒤집어쓰다니?

서포크 그렇다, 이 누더기는 공작과 상관없소.
주피터도 이따금씩 변장을 했는데, 나라고 못할 게 있나?

함대장 다만 주피터는 살해된 적이 없지 네놈과 달리.

50 **서포크** 이름은 모르지만 괴혈병에 걸린 놈아, 헨리 왕의 혈통이며[16]
랭커스터의 명예로운 피를,
마구간지기 같은 천한 놈에게 흘리게 할 수 없지.
네가 내 손에 입 맞추어 내 등자를 붙들어준 일이 있지 않으냐?
화사하게 꾸민 내 노새 곁에서 모자도 쓰지 않고 터벅터벅 걷다가
55 내가 고개만 흔들어도 행복해하던 놈이 아니더냐?

---

16. 서포크의 어머니는 헨리 6세의 먼 친척임.

네놈이 내 술잔 시중을 들고
내가 마가렛 왕비와 연회를 열 때에
식탁에 무릎 꿇고 내 접시에 담은 걸로 배를 채우던 게
얼마나 자주 있었더냐?
그게 기억나거든 머리를 조아려야 한다. 60
아무렴, 이 말도 안 되는 오만함을 가라앉혀야지.
텅 빈 우리 집 로비에 서서
내가 나오기를 마냥 기다렸던 네 모습을 잊었느냐?
내 이 손이 네놈 추천장을 썼느니라.
그러니 이 손이 거침없는 다물게 할 것이다. 65

휘트모어 어쩔까요, 함대장, 이 한심한 녀석을 찔러 버릴까요?

함대장 우선 저자가 한 대로 내가 말로 찌르겠어.

서포크 천한 노예 놈 같으니라고, 네놈의 말의 날은 무뎌, 너도 그렇고.

함대장 이놈을 끌고 가고 우리 큰 배 옆에서
이놈 대갈통을 쳐내게.

서포크 네놈이 감히 직접은 못하겠지.

함대장 그래, 풀![17] 70

서포크 폴이라구!

함대장 풀! 풀 경! 나리!
하수구, 웅덩이, 시궁창, 네놈의 더러운 것들이
잉글랜드인들이 마시는 은빛 샘물을 더럽히고 있어,
이제 내가 크게 벌린 네놈 주둥아리를 틀어막아 주겠다. 75

---

17. 말장난으로 서포크의 성이 de la Pole을, poll과 pull로 발음하여 조롱함.

왕국의 보물을 집어삼킨 죄로 말이다.
왕비와 입 맞추던 네 입술이 땅바닥을 쓸게 될 것이고,
선량하신 험프리 공작의 죽음에 미소 짓던 네놈은
무정한 바람에 대고 헛되이 씨익 하고 웃겠지,
80 바람은 네놈을 경멸하며 네놈한테 다시 불어버릴 것이며.
신하도, 재산도, 왕관도 없는
가난뱅이 왕의 딸과,
대담하게 강력한 군주를 결혼시켰던 네놈은,
그 죄 값으로 지옥의 할망구들과 맺어질 게다,
85 악마의 술책으로 네놈은 대단한 신분이 되었지,
야심찬 로마 독재자 술라처럼,
네 모국의 피 흘리는 심장을 먹어치운 놈이다
바로 네놈이 앙주와 메인을 프랑스에 팔아먹었어,
네놈 때문에 거짓말쟁이 노르만인들이 반란을 일으켜
90 우리를 주인으로 섬기는 일을 경멸하고, 피카디는
자기들 행정관을 살해했고, 우리 요새들을 습격했고,
부상을 입고 만신창이가 된 병사들을 집으로 보냈다.
한 번도 헛되이 그 무시무시한 칼을 뽑은 적인 없는
워릭 백작과, 네빌 가문 전체가,
95 네놈을 증오하여, 무장 봉기 중이다.
그리고 왕좌에서 밀려나고
죄 없는 리처드 2세 왕이 무참히 살해당하고
오만불손한 폭정에 시달린

요크 일가도 복수에 불타고 있다. 그들의 희망 찬 깃발에
찬란히 비치기 시작하는 100
반쪽 얼굴의 태양이 높이 솟아오르고
그 밑에는 "구름이 끼어있어도"라고 쓰여 있다.
이곳 켄트 주 평민들이 무장봉기 중이고,
결국, 비난과 구걸이
우리 국왕의 궁전으로 기어 들어갔는데 105
모두 네놈 탓이다. 가라! 이자를 끌고 가.

서포크 오 내가 신이라면, 이 보잘것없고, 노예같이 비천한 놈들한테
벼락을 내릴 텐데.
천한 것들은 사소한 걸로 거드럭대지. 여기 이 악당은,
고작 작은 배 우두머리 주제에 불호령이 110
강력한 고대 일리아의 해적, 바굴르스보다 더하구나.[18]
수벌은 독수리 피를 빨지 않지, 벌집을 약탈할 뿐.
내가 네놈처럼 비천한 신분의 종자한테
죽을 수는 없지.
네놈 말은 내 화를 돋을 뿐 치욕을 느끼게 하진 못한다. 115

함대장 그러나 내가 곧 그 분노를 멈추게 할 것이다.

서포크 난 왕비의 전령으로 프랑스엘 가는 중이다—
내 네게 명하노니, 이 해협 너머로 날 무사히 실어 가거라.

함대장 워터!

---

18. 엘리자베스 시대 때 문법학교에서 교과서로 사용된 키케로의 『의무에 관하여』에 언급된 발칸반도의 해적

휘트모어 가자, 서포크, 내가 널 네 죽음으로 실어 가야겠다.

120 **서포크** 차가운 두려움이 내 사지를 거의 온통 덮치나니

내가 두려운 것은 너로구나.

휘트모어 네놈을 보내기 전에 두려운 이유를 알려 주지.

뭐야, 당신 지금 기가 죽은 게야? 이제 머리를 조아리겠다고?

첫 번째 신사 공작님, 정중한 언사로 저자에게 간청하십시오.

125 **서포크** 제왕처럼 구는 서포크의 혀는 엄하고 격렬하다,

명령하는데 익숙하고, 호의를 간청하는 법은 모르니.

이런 자들에게 공손히 부탁하는 것은 어림도 없지

하늘의 하느님과 나의 국왕께 말고는,

무릎을 구부리지 못한다. 차라리 머리를 숙여

130 단두대에 놓는 것이 낫겠다.

상스러운 마구간지기한테 모자를 벗고 대할 바에는 .

머리가 피투성이 막대 위에서 춤을 추는 것이 낫겠다.

진정한 고결함은 두려움을 모른다.

네놈이 감히 집행하는 것 이상을 나는 견딜 수 있어.

135 **함대장** 이자를 끌고 가, 더 이상 입을 못 놀리게 해라.

서포크 오너라, 병졸들아, 온갖 잔인한 짓을 부려 봐라,

내 죽음이 잊혀지지 않도록.

위대한 인물도 종종 비천한 자들에게 죽으니.

선량한 키케로는 로마의 웬 칼잡이이자 흉악하고 천박한 놈이

140 살해했지, 사생아 브루투스의 손이

줄리어스 시저한테 비수를 꼽았어, 위대한 폼페이는

섬 야만인이 죽였고, 그리고 서포크는 해적한테 죽는구나.

휘트모어가 서포크를 데리고 퇴장

함대장 우리가 몸값을 받기로 한 자들 중에,

한 놈을 보내 주마.

그러니 넌 우리와 남고 저 놈은 보내라. 145

모두 퇴장, 첫 번째 신사는 남는다.
휘트모어, 서포크의 머리와 몸통을 들고 등장

휘트모어 여기다 이놈 머리통과 죽은 몸통을 놔두지,

이놈의 정부인 왕비가 와서 묻을 거다. 퇴장

첫 번째 신사 오 야만적이고 피비린 광경이로다!

이분의 시신을 왕께 가져가야지.

왕이 복수를 안 해도, 친구들은 해주겠지. 150

살아생전에 이분을 사랑한 왕비라도 해주겠지.

서포크의 머리와 몸통을 갖고 퇴장

2장

블랙히스('검은 황무지'), 켄트 주

장대를 들고 두 폭도(조지와 닉) 등장

조지 가서 칼을 만들어, 나무 조각으로라도 좋으니, 반란이 일어난 지 이틀이나 됐어.

닉 그렇담 지금은 잠이 더 급하겠군.

조지 글쎄, 재단사 잭 케이드가 왕국에 옷을 입히겠다는 거야, 안감을 바깥으로 뒤집고, 결을 개선하고 말이지.

닉 그럴 필요가 있지, 닳아서 나달나달하니까. 맞아, 내 장담컨대 잉글랜드에 신사들이 유행하고 나서 살기 어려운 세상이 되었어.

조지 오, 비참한 시대지! 직공들이 덕본다는 건 생각하기도 힘드니.

닉 귀족들은 가죽 앞치마 입는 걸 경멸한다니까.

조지 그뿐인가, 추밀원에 훌륭한 일꾼 하나 없잖나.

닉 맞아, 그런 주제에 '네 직업에 열심히 일하라'라고 했는데 말이지. 그 말은 '정부 관리도 열심히 일하라'는 얘기가 되지. 그러니 우리가 정부관리가 되어야 한다는 얘기도 되고.

조지 아주 정곡을 찌르는 말이네. 단단한 손이야말로 훌륭한 마음가짐의 표시니까.

닉 저기 온다! 저기 그들이 와! 저건 베스트의 아들이야. 윙험의 무두장이 말이야.

조지 그가 우리 적들의 가죽을 벗겨 장갑을 만들게 하면 되겠네.

닉 백정 딕도 오네.

조지 그렇담 죄를 황소 잡듯 때려잡을 거고, 부정한 놈의 목은 송아지 처럼 잘리겠구나. 20

닉 직공 스미스도 온다.

조지 그럼 적들의 생명줄을 늘였다 줄였다 하겠네.

닉 가세, 가, 저들과 뜻을 합쳐야지.

잭 케이드, 백정 딕, 직공 스미스, 톱장이, 그리고 고수 한 명이, 모두 장대를 든 무수한 인원들과 함께 등장

케이드 짐은, 존 케이드다, 내 가상의 아버지한테 물려받은 이름이지—

백정 [방백] 아니면 청어 한 통(케이드)[19]을 훔쳐서 그 이름이 케이드이거나. 25

케이드 왕과 귀족들을 진압하는 정신으로 고취된 짐 앞에서 짐의 적들이 무릎을 꿇을 것이다. 조용히 하라.

백정 조용히 하시오!

케이드 내 아버지는 모티머였다—

백정 [방백] 그분은 정직하시고 모르타르 바르는 솜씨가 훌륭한 분이셨지. 25

케이드 내 어머니는 플랜타저넷 가문이셨고—

백정 [방백] 내 그녀를 잘 알지, 산파였다구.

케이드 내 아내는 레이시 가문의 후손이었고—

---

19. 말장난, cade가 청어 한통(a barrel of herrings) 의미하기도 함.

백정 [방백] 그녀는 진짜 행상인 딸이고, 레이스를 엄청 팔았어.

30 **직공** [방백] 하지만 최근에는, 털가죽 꾸러미를 갖고 행상할 수 없어서, 여기 고향에서 빨래나 해주며 살고 있지.

케이드 그러니까 나는 명예로운 가문 출신이로다.

백정 [방백] 그래, 정말, 들판은 명예로운 거야, 산울타리 아래서 그가 태어났거든. 하기야 아버지는 감옥에 있을 때 말고는 집이 한 번

35 도 없었으니까.

케이드 나는 용감하다.

직공 [방백] 아무렴, 거렁뱅이는 용감해야지.

케이드 나는 참을성이 많다—

백정 [방백] 그건 확실하지, 내가 봤는데 장장 사흘 동안을 곤장을 맞더

40 라니까.

케이드 나는 칼도 불도 두렵지가 않다.

직공 [방백] 칼은 겁낼 필요가 없지, 저자의 옷에 낀 때가 천하무적 철갑이거든.

백정 [방백] 하지만 불은 무서울 텐데, 양 한 마리 훔친 죄로 손에 낙인

45 을 찍힌 일이 있거든.

케이드 모두 용기를 내라, 너희들 대장이 용감하고 개혁을 맹세하니. 앞으로 잉글랜드에서는 일곱 페니 반짜리 빵을 1페니에 팔고, 세 되 가격으로 열 되를 살 수 있게 되리라, 그리고 약한 맥주 따위를 마시는 자는 중죄로 다스릴 것이다. 영토 전체를 공유지로 만

50 들고, 런던 번화가 칩사이드에서 안장을 얹은 내 말이 풀을 뜯을 것이다. 그리고 내가 왕이 되면, 왕이 되겠지만—

폭도들 모두 국왕 폐하 만세!

케이드 고맙소, 착한 백성들! ― 돈 같은 건 필요 없다, 먹고 마시는 비용은 모두 내가 지불할 것이고, 모두 똑같은 복장을 해서 형제같이 화목하게 지내고, 나를 왕으로 떠받들게 할 것이다. 55

백정 맨 먼저 변호사들을 모조리 죽여 버리지요.

케이드 오냐, 그럴 참이다. 참으로 통탄할 일 아니겠느냐. 순진한 양의 껍질로 양피지를 만들고, 양피지 위에 뭔가를 휘갈겨 써놓고, 사람을 잡는다는 것이 웬 말이야? 벌이 독이 있다고 말하는 사람들이 있지만, 내 말하노니 정말 독이 있는 건 봉랍이다. 내 딱 한 번 60 봉랍에 도장을 누르면, 그 뒤로 다시는 내가 내 자신의 것이 되지 못하기 때문에. 뭔가? 저자는 누구지?

몇몇이 차탐의 서기를 데리고 등장

직공 차탐의 서기요 ― 쓰고 읽고 셈도 하는 잡니다.

케이드 오, 괘씸한 것 같으니!

직공 아이들이 글씨본을 쓰고 있는 걸 잡았소. 65

케이드 이 악당 같으니!

직공 주머니에 붉은 글씨로 쓴 책이 들어 있고요.

케이드 아니, 그렇담 주술사로다!

직공 예, 채무에 관한 증서를 쓰는데 법정에서 쓰는 용어를 쓰고 있고.

케이드 안타깝구나. 생긴 건 멀쑥한 게, 내 맘에 드는데. 죄가 없다면, 저 70 자를 죽이지 않으리라. 이리 오너라, 이놈 심문을 해야겠다. 이름이 무엇이냐?

서기 엠마누엘.[20]

백정 놈들은 항상 문서 맨 위에 그렇게 쓴다니까요. 아무래도 골치 아
75 프겠어요

케이드 끼어들지 말거라. 너는 보통 네 이름을 글씨로 쓰느냐? 아니면 정
직하고 솔직 담백한 사람답게 네 자신만의 표식이 있느냐?

직공 이보시오, 나는 교육을 잘 받아 내 이름을 쓸 수 있게 된 것을
하느님께 감사하오,

80 폭도들 모두 저놈이 자백하였소, 끌어내시오! 저 놈은 악당이고 반역자요.

케이드 명하노니, 저놈을 끌어내라! 펜과, 뿔 잉크병을 그의 목에 걸고
목을 매달아라. 한 사람이 서기를 데리고 퇴장

마이클 등장

마이클 어디 계시오, 우리 대장은?

케이드 여기 있다, 졸병아.

85 마이클 어서 도망쳐요, 도망쳐! 험프리 스태포드 경의 형제가 국왕의 병
력을 이끌고 가까이 왔어요.

케이드 가만있어라, 이놈, 게 서라, 도망치면 네놈을 패줄 것이야. 그 놈
에게 맞서서 그 놈 못지않은 사내가 싸울 것이다. 그는 단지 기사
일 뿐이야. 그렇지?

90 마이클 기사이지요.

케이드 그와 대등하려면 내가 날 당장 기사로 봉하노라.

---

20. 엠마누엘은 영어로 '주님이 함께 하시길'

[무릎을 꿇는다.]

일어나시오, 존 모티머 경. [일어선다.]

이제 그를 상대해주마!

험프리 스태포드 경과 동생이 고수 및 병사들과 함께 등장

스태포드 이 반역자 놈들아, 켄트 주의 더러운 쓰레기 같은 놈들아

얼굴이 딱 교수형 감이니, 무기를 내려놓아라. 95

저 마구간지기 같은 놈을 버리고 자기 오두막으로 귀가하라.

너희가 이자한테 반역한다면, 폐하도 자비를 베푸신다.

스태포드 동생 하지만 그대들이 반항하면

성나고, 분노에 차, 유혈 쪽으로 마음이 기우시지,

그러니, 항복 아니면 죽음이다. 100

케이드 이따위 비단옷이나 입고 있는 놈들은 난 상대하지 않겠다.

선량한 여러분, 내가 할 말이 있는데

장차 다가 올 날에 내가 다스리고자 하는 것은 여러분들이오.

내가 정당한 왕위 계승자니까.

스태포드 이런 고약한 놈, 네놈 아비는 미장이였고, 105

네놈 자신은 재단사가 아니더냐?

케이드 그리고 아담은 정원사였다.

스태포드 동생 도대체 무슨 소리를 하는 것이야?

케이드 이런 얘기지. 마치의 백작, 에드먼드 모티머가,

클라렌스 공작의 딸과 결혼했다, 아닌가? 110

스태포드 맞다, 이놈아.

케이드 부인한테서 쌍둥이를 얻었지.

스태포드 동생 그건 틀렸어.

케이드 그래, 그게 문제야, 하지만 내 말은 사실이다.

115 쌍둥이 중 맏이는, 유모한테 맡겨졌는데,

거지 여인이 훔쳐 갔지.

그리고 자신의 출생과 부모를 알지 못하고

자라서 미장이가 되었어.

그의 아들이 바로 나다, 할 수 있다면 부인해 보거라.

120 **백정** 맞소, 너무도 맞는 말이오, 그러니 저분이 왕이 되어야지.

직공 이보쇼, 그분이 우리 아버지 집 굴뚝을 지었고, 벽돌이 오늘까지도 살아남은 것이 증거이니, 부인할 수 없지.

스태포드 그래서 너희가 저 천한 잡일꾼의 말을 믿겠다는 것이냐

자기도 모르는 하는 말이거늘?

125 **폭도들 모두** 믿고 말구, 그러니 그만 가시라고.

스태포드 동생 잭 케이드, 요크 공작이 네게 이를 가르쳤겠다.

케이드 [방백] 거짓말을 하는군, 내가 직접 꾸며낸 건데 —

이봐, 왕한테 가서 내 말을 전하여라. 왕의 부왕인, 헨리 5세, 그분 치세 때 아이들이 가서 프랑스 크라운 따먹기를 하며 놀았으

130 니, 부왕을 봐서 그가 다스리는 건 괜찮지만 내가 대신 섭정을 하겠다고 말이다.

백정 그리고 거기에다 우리는 세이 경의 목을 벨 것이라고, 메인 공작령을 팔아넘긴 죄로 말이다.

케이드 당연한 말이지, 그래서 잉글랜드가 불구의 몸이 되었고, 내 힘이

떠받쳐 주지 않으면 지팡이라도 짚어야 할 판이니까. 135

동료 왕들이여, 내 그대들에게 말하거늘 저 세이 경이란 자가 왕국을 거세하고, 고자로 만들어 버렸노라, 그리고 그보다 더한 것은 그가 프랑스어를 말할 수 있으니, 그러니 그는 반역자란 말이다.

스태포드 오 이토록 역겹고 참담할 정도로 무식할 수가 있다니!

케이드 어디 할 수 있으면 대답해 보라, 프랑스인들은 우리의 적이다. 그렇다면 내 이거 하나 묻겠다—적의 말을 하는 자가 훌륭한 의논 상대가 될 수 있겠는가, 아니겠는가? 140

폭도들 모두 아니오, 아니오, 그러니 우리가 저놈의 목을 베겠다.

스태포드 동생 자, 좋은 말로는 안 될 것 같으니,

국왕의 군대로 저들을 공격할 밖에요. 145

스태포드 전령, 가서 모든 시 전역에

케이드 편에 서는 자는 반역자라고 선포하라,

전쟁이 끝나기 전에 도망치는 자는,

발각되면, 아내와 아이들이 보는 데서

본보기로 그들 현관에서 교수형에 처해질 것이라 전하라. 150

그리고 왕의 편에 설 자는, 나를 따르라.

스태포드 형제와 그의 병사들 퇴장

케이드 그리고 평민을 사랑하는 자는 나를 따르라.

스스로 사내임을 보여라, 자유를 위해 싸우는 것이다.

귀족이나 신사는 한 명도 남겨 두지 않을 것이다.

징 박은 구두를 신은 자 말고는 아무도 살려 주지 마라, 155

그들은 검소하고 정직한 사람들이고, 우리 편이,
되고 싶지만 겁이 나서 나서질 못하는 사람들이니.

백정 저들이 모두 정렬하여, 우리를 향해 오고 있소.

케이드 우리는 가장 무질서할 때가 정렬인 것이다. 가자, 진군 앞으로!

모두 퇴장

3장

장면 계속

전투 경보. 소규모 전투들, 거기서 스태포드 형제가 모두 살해당한다. 잭 케이드, 백정 딕, 그리고 나머지 사람들 등장.

케이드 애쉬포드의 백정, 딕 어디 있느냐?

백정 여기 있습니다, 나리.

케이드 저들이 네 앞에서 양과 황소들처럼 쓰러지더군. 그리고 너는 마치 네 도살장에 일하는 것처럼 행동했어. 그러므로 내가 그대에게 이렇게 포상을 하겠다. 사순절 기간을 40일에서 80일로 늘리고 그대에게만은 앞으로 99년간 도살할 수 있도록 허가하겠다.[21] 5

백정 더 바랄 게 없습니다.

케이드 사실, 그대는 그럴 자격이 충분히 있다.

[그가 스태포드의 갑옷을 차려 입는다.] 승리의 기념물인 이 갑옷은 내가 지니노라, 그리고 이놈들의 시은 내 말 뒤 굽에 묶어서 런던까지 질질 끌고 가겠다. 런던에서 시장의 검을 짐에게 바치게 하겠노라. 10

백정 우리가 성공하고 또 좋은 일을 하려면, 감옥을 부수고 죄수들을

---

21. 40일간의 사순절 기간 동안 가축을 도살하는 것이 법으로 금지되어 있었기 때문에 어업이 성행하기도 했다. 여기서 99는 99년인지, 99마리인지, 고기를 사는 손님의 수인지 애매하다. '99년간 도살할 수 있다, 99명에게 팔 수 있다.' 모두 가능하다고 생각하지만 역자는 99년을 택했다.

풀어줘야 합니다.

케이드 그건 걱정 말라, 내가 보장하겠다, 자, 런던으로 진군하자.

스태포드 형제의 시신을 질질 끌며 모두 퇴장.

4장

런던, 궁정

탄원서를 읽으며 헨리 왕, 서포크의 머리를 든 왕비, 버킹엄 공작, 그리고 세이 경 등장.

마가렛 왕비 [방백] 슬퍼하면 마음이 약해지고,
겁쟁이가 되고 나약해진다고 종종 들었지.
그러니 울음을 그치고 복수를 생각해야해.
하지만 누가 이걸 보고 울음을 그칠 수 있을까?
그분의 머리를 여기 이 고동치는 가슴에 대고 있지만, 5
내가 껴안아줄 몸은 어디 있단 말인가?

버킹엄 폐하께서는 폭도들의 청원서에 어떤 답을 주시렵니까?

헨리 왕 경건한 주교를 보내 설득해 보라 하겠소,
그토록 많은 어리석은 영혼들이 칼로 목숨을
잃게 하는 짓은 하느님이 금하십니다. 나 역시, 10
피비린 전쟁으로 그들이 목숨을 끊게 하느니,
차라리 역도들의 장군인 잭 케이드와 협상을 하겠소.
기다리시오, 다시 한 번 읽어 보겠소.

마가렛 왕비 [방백] 아, 야만스런 악한들! 이 사랑스런 얼굴이
날아다니는 행성처럼 나를 지배했건만, 15

이 얼굴을 볼 자격조차 없는 그자들을
뉘우치게 할 수는 없었단 말인가?

헨리 왕 세이 경, 잭 케이드가 경의 목을 반드시 베겠다고 하오.

세이 그렇지만, 폐하께서 그자의 목을 베시기를.

20 **헨리 왕** 괜찮으시오, 왕비?
아직도 서포크의 죽음을 애도하고 비탄해하는 것이오?
아무래도, 당신은 내가 죽었더라면,
나를 위해 그만큼 슬퍼해주지는 않을 거 같소.

마가렛 왕비 아니죠, 여보, 슬퍼하지 않고 당신 따라 죽을 거예요.

사자 허겁지겁 등장

25 **헨리 왕** 어인 일인가? 무슨 소식이냐? 왜 그리도
다급한 것이냐?

사자 폭도들이 서더크를 점령했습니다, 피하소서, 폐하!
잭 케이드가 클라렌스 공작 가문의 출신이라면서,
자신을 모티머 영주로 선포했습니다,
30 그리고 공공연하게 폐하를 찬탈자라 부르며,
웨스트민스터에서 대관식을 하겠다고 선언하고 있습니다.
그자의 군대는 무자비하고 포악한
시골잡놈과 농사꾼들로 누더기차림을 한 거지 떼들입니다.
험프리 스태포드 경과 그 동생을 죽인 일이,
35 그들에게 담력과 용기를 주어 진군케 했지요.
학자, 변호사, 궁정 신사, 신사들 모두를

부정한 기생충으로 매도하고, 죽이겠답니다.

헨리 왕 오 신에게 버림받은 사람들!, 저들은 무슨 짓을 하는 지도 모르는구나.

버킹엄 폐하, 킬링워스 궁으로 피신하십시오,
병력을 모집해 저들을 진압할 때까지 말입니다. 40

마가렛 왕비 아, 서포크 공작이 지금 살아 있다면
이 켄트 주 폭도들 따위는 금방 잠잠해졌을 텐데!

헨리 왕 세이 경, 천민 폭도들이 그대를 증오하고 있으니,
짐과 함께 킬링워스로 갑시다.

세이 그러면 폐하 옥체가 위험해지십니다. 45
저를 보면 그자들은 눈에 혐오로 가득찰 것이니
저는 이곳에 남아
혼자 숨어서 지내겠습니다.

또 다른 사자 등장

두 번째 사자 잭 케이드가 런던 다리를 거의 장악했습니다.
시민들이 자기 집을 버리며 달아났고요, 50
악당들 무리가, 약탈품을 갈구하며
반역자와 합세하여 이 도시와 폐하의 궁정을 약탈하겠다고.
그들이 동시에 소리치고 있어요.

버킹엄 그렇담 지체마소서, 폐하. 어서 말을 타십시오!

헨리 왕 갑시다. 마가렛, 우리의 희망이신 하느님께서, 우리를 구해주실 거요. 55

마가렛 왕비 [방백] 내 희망은 사라졌소, 서포크가 고인이니.

헨리 왕 잘 있으시오, 경. 켄트 폭도들을 조심하오.

버킹엄 배신당하지 않으려면, 아무도 믿지 마시오.

세이 제가 무죄임을 확신합니다.

60 그래서 저는 대담하고 단호한 것입니다.

모두 퇴장.

5장

런던탑

탑 위로 스케일즈 경 등장, 걷고 있다.
아래로 시민 서너 명 등장.

스케일즈 어찌 됐는가? 잭 케이드는 살해되었느냐?

첫 번째 시민 아닙니다, 스케일즈 경, 살해될 것 같지도 않습니다. 폭도들이 다리를 장악하고 저항하는 사람들을 모조리 죽이고 있습니다. 런던 시장께서 경이 런던탑으로부터 지원군을 보내주시어 도시를 지켜주시기를 간청하고 있나이다. 5

스케일즈 할 수만 있다면 명령대로 하겠다만은
여기도 폭도들 때문에 내가 곤경에 처해 있소.
폭도들이 탑을 장악하려 시도했구나.
당신들은 스미스필드로 가서 병력을 모으시오,
그러면 내가 그리로 매튜 고우를 보내주겠소. 10
폐하와 조국, 그리고 당신들의 목숨을 위해 싸우시오!
그럼 작별하십시다. 내가 다시 가봐야겠으니.

모두 퇴장

6장

런던, 캐논 거리

잭 케이드, 직공, 백정, 그리고 나머지 등장. 케이드가 '런던 표석'을 칼로 내리친다.

케이드 이제 모티머가 이 도시의 군주로다. 이제 이 런던 돌 위에 앉아, 명하고 지시하노니, 짐이 통치하는 첫 1년은 시의 재정으로, '오줌 누는 도관'에 고급 적포도주만 흐르게 하라, 그리고 지금부터 나를 모티머 경이 아닌 다른 이름으로 부르는 자는 반역죄를 면
5 치 못하게 될 것이다.

병사 한 명 뛰어서 등장

병사 잭 케이드, 잭 케이드!

케이드 제기랄, 저놈을 때려 죽여라!

폭도들이 병사를 죽인다.

백정 이자가 현명하다면, 결코 더 이상 당신을 잭 케이드라 부르지 않을 것이오, 아주 단단히 혼이 났으니.

[병사 몸에서 쪽지를 집어 들고 그것을 읽는다.]

10 군주님, 군대가 스미스필드에 집결해 있답니다.

케이드 그렇담 가야지, 가서 그들과 싸우자구. 그러나 우선, 가서 런던 다리에 불을 지르라, 그리고, 가능하다면, 탑도 태워버려라. 자, 가자.

모두 퇴장

7장

런던, 스미스필드

전투 경보. 소규모 전투를, 매튜 고우와 그의 부하들 전원이 살해당한다. 그런 다음 잭 케이드가 부대를 이끌고 등장.

케이드 됐고, 이보게들, 일부는 가서 사보이 저택을 무너뜨리고, 나머지는 법학원으로 가서 모두 때려 부셔라!

백정 군주님께 드릴 청원이 하나 있습니다.

케이드 그게 군주 자리라 해도 주겠으니, 어서 말하라.

5 **백정** 다만 잉글랜드의 법이 군주님의 입에서 나오기를 바라는 것입니다.

닉 [방백] 그렇다면 분명 쓰라린 법일 게야, 케이드가 입을 창에 찔렸는데 아직 상처가 낫지 않았거든.

직공 [방백] 아냐, 닉, 악취 나는 법일 게야, 구운 치즈를 먹어서 숨 쉴 때 악취가 심하거든.

10 **케이드** 내가 그걸 생각해 보았는데 이렇게 하도록 하자. 가서, 왕국의 모든 기록을 태워버려라, 내 입이 잉글랜드의 의회가 될 것이니.

닉 [방백] 저자의 이빨을 뽑아버리지 않는 한 법이 입으로 깨물듯 혹독하겠구나.

케이드 이제부터 모든 것은 공유하는 것으로 한다.

사자 등장

사자 군주님, 전리품입니다, 전리품이에요! 프랑스의 마을들을 팔아먹은 세이 경을 잡았어요, 우리더러 15분의 1의 재산세를 스물 한 번이나 내게 하고 거기다 1파운드당 1실링까지 물렸던 그자를 말입니다. 15

조지가 세이 경을 데리고 등장

케이드 그러면, 그 죄로 그자의 목을 열 번이나 베겠다.
아, 네놈은 세이 비단—아니지, 네놈은 형편없는 버크럼 천 귀족이지. 이제 너는 짐의 국왕 사법권이 지배하는 곳으로 들어왔도다. 폐하인 내게 노르망디를 그 프랑스 황태자라는 도핀에게 넘겨 준 것에 대해 뭐라 답할 수 있겠느냐? 똑똑히 알아 두어라. 나리들이 자리에 참석한, 심지어 모티머 경이 참석한 이곳에서 나는 너 같은 자를 궁정에서 쓸어버려야 할 빗자루라는 거다. 너는 문법학교[22] 같은 것을 세워 잉글랜드의 청소년들을 타락시켰으니 너무 고약한 역적이다. 예전에는, 우리 선조들이 책이라는 게 다른 건 없고 나뭇가지에 금줄을 새겨 일을 끝냈는데, 네놈이 인쇄라는 것을 쓰게 했고 거기에다 국왕의 왕관과 권위에 반하여, 네놈이 종이공장을 세웠겠다. 종이 공장을. 네놈 면전에서 네놈이 네 주변에 통상적으로 명사니 동사니 하여간 그런, 기독교인 귀로는 도저히 참고 들어줄 수 없는 구역질나는 단어들로 얘기하는 자들을 두고 있었다는 것을 입증하겠다. 네놈이 치안판사라는 것들을 임명하고 가난한 사람들을 그들 앞에 불러 세워서 도저히 20 25 30

22. 16세기에 창설된 학교로 프랑스어, 그리스어를 주교과목으로 하는 학교

35 답을 할 수 없는 일들을 따졌지. 더욱이 네놈은 그들을 옥에 쳐 넣었어, 그리고, 글을 읽지 못한다는 이유로 네놈이 그들을 목매 달았다, 글을 못 읽어도 그들이 살 자격이 충분한대도 말이지. 네놈은 정말 화려하게 치장한 말을 타고 다니지, 그렇지 아닌가?

세이 그게 어떻다는 거지?

40 **케이드** 참으로, 네놈 말한테 외투를 입히면 안 되지, 네놈보다 훨씬 정직한 사람은 반바지와 몸에 꽉 끼는 웃옷밖에 못 입는 판에.

백정 그리고 셔츠 차림으로도 일하지. 예를 들면 백정인 내가 그런 셈이죠.

세이 너희 켄트 주 사람들은—

케이드 켄트 주가 어떻다는 거냐?

45 **세이** 딱 한마디로, 좋은 땅에 못된 사람들이지.[23]

케이드 이자를 끌어내라, 끌어내라고! 라틴어로 말하다니.

세이 내 말 듣고 그런 다음에 날 너희가 원하는 곳으로 끌고 가라.
시저가 쓴 『게일 전기(戰記)』에서 켄트는,
잉글랜드 섬 어느 곳보다 가장 문명이 개화된 곳이다.
50 땅이 비옥해 자원이 풍요로우며,
사람들이 너그럽고, 용감하고, 활달하며, 부유해서
너희에게도 연민의 정이 남아 있기를 희망하노라.
나는 마인을 팔지 않았다, 내가 노르망디를 잃은 것이 아니야.
허나 두 영토를 회복하기 위해서는 내 목숨도 잃을 것이다.
55 나는 판결을 호의와 더불어 해왔다.

---

23. 프랑스어로 Bona terra, mala, gens. 영어로 A good land, a bad people.

간청이나 눈물은 날 감동시켰지만 뇌물은 그러지 못했지.
내가 너희 손에서 거둬 간 것이 있다만
모두 국왕과, 왕국과 너희들, 켄트 주를 지키려는 위함이 아니었더냐?
내가 배움이 깊은 학자들을 후하게 대한 것은,
나도 학문으로 국왕에 의해 등용된 것이었으니 60
무지함은 하느님의 저주라는 것을 알고
학식은 우리가 하늘나라로 날아가는 날개임을 알았기 때문이다.
너희가 악령에 씐 것이 아니라면
너희는 나를 살해할 수 없을 것이다.
이 혀는 외국의 왕들과 협상을 하며 65
너희를 이롭게 했던 혀니까.

케이드 쯧, 전장에서 언제 한 방 날려 본 적은 있으신가?

세이 위대한 인간은 먼 곳까지 손이 닿는다. 그 손으로
내가 본 적도 없는 자들을 종종 때려 죽였지.

조지 오 무시무시한 겁쟁이! 뭐냐, 백성 뒤에 숨어서 말이냐? 70

세이 너희의 안녕을 위해 노심초사하다 내 뺨이 창백해진 것이다.

케이드 귀싸대기를 갈겨 줘, 그러면 다시 붉어지겠지.

세이 가난한 자들의 사정을 듣고 판결하느라 오래 앉아 있다 보니
내 몸은 온통 아프고 성한 데가 없구나.

케이드 네놈한테는 대마 줄로 목을 매면 느긋해지고 그런 다음, 망나니 75
도끼 신세를 지는 거지.

백정 왜 그리 몸을 떠는 거야, 당신?

세이 중풍 때문이지 두려움에 떠는 게 아니다.

케이드 아니야, 이놈이 고개를 끄덕이는 게 '한번 해볼 테냐' 투가 분명하구나. 내 보겠노라 그의 머리통이 장대 위에 꽂혀 있으면 좀 가만히 있을 런지. 이자를 데려가서, 목을 쳐라. 80

세이 말해 보라 내가 저지른 가장 큰 죄가 무엇인가?
내가 부자인 체 혹은 명예로운 체 했던가? 말하라.
내 금고가 강탈한 금으로 가득 채워졌느냐?
내 의상이 보기에 사치스러운가? 85
너희가 날 죽일 만큼 내가 누구를 해쳤느냐?
이 두 손은 죄 없는 자의 피를 흘리게 한 적이 없노라.
이 가슴은 더럽고 기만으로 가득 찬 생각을 품은 적이 없노라.
오 나를 살려 다오!

90 **케이드** [방백] 저자 말을 들으니 양심의 가책을 느끼지만, 그래도 굴레를 씌워줘야지. 죽어야 해. 살겠다고 너무나 탄원을 잘한다는 이유 하나만으로도. 저자를 끌고 가! 저자는 혓바닥 밑에 악마를 숨겨 두었구나, 한 번도 하느님 이름을 말하지 않잖느냐. 가라, 그를 끌어내라, 명하노니, 즉시 목을 쳐라. 그리고 저자의 사위인, 제임스 크로머 경 집에 쳐들어가서 그놈 목도 쳐라, 그리고 두 놈의 머리를 두 개의 막대기에 달고 이리로 오너라. 95

폭도들 모두 그리하겠소!

세이 아, 동포들이여, 너희들이 기도를 올릴 때,
하느님께서 너희들처럼 완고하시다면,
사라지는 너희들의 영혼은 어떻게 되겠는가? 100

그러니 지금이라도 마음을 돌려 나를 살려주시오!

케이드 저자를 끌고 가라, 내 명을 따르란 말이다!

[폭도 한두 사람이 세이 경을 데리고 퇴장]

왕국의 가장 오만한 귀족이라도 내게 조공을 바치지 않는 한 어깨에 머리통을 달고 다니지 못하리라, 어떤 처녀도 첫날 밤 처녀막을 내게 바치지 않는 한 결혼하지 못할 것이다. 사내들은 아내를 내가 직접 내린 하사품으로 여길 것이다. 그리고 엄히 명하노니 그들 아내는 마음 내키는 대로 혀가 말하는 대로 마음껏 처신해도 좋을 것이다. 105

백정 폐하, 언제 우리는 칩사이드로 가서 외상 달아놓고 여자 맛을 실컷 보게 되는 겁니까? 110

케이드 그거야, 당장 되지.

케이드 추종자들 모두 우와!

두 사람이 장대 두 개에 세이 경과 제임스 크로머 경의 머리를 달고 등장

케이드 하지만 이게 더 근사하지 않느냐? 둘이 서로 입 맞추게 하라. 살아 있을 때 꽤나 친하게 지내던 사이니까. 이제 다시 떼어 놓으라, 저들이 프랑스 도시들을 더 팔아지도록 얘기를 하게 두면 안 되니까. 병사들, 도시를 약탈하는 짓은 밤까지 기다려라. 놈들의 대가리를 앞세우고 거리를 행군하자꾸나. 그리고 모퉁이 곳곳에서 두 놈을 입 맞추게 하는 거야. 가자! 115

모두 퇴장

8장

서더크

전투, 후퇴. 케이드와 모든 폭도들 등장.

케이드 피쉬 가로 올라가자! 세인트 마그너스 모퉁이로 내려가! 죽이고 때려눕혀! 템즈 강물에다 던져 버리는 거야!

회담 요청 나팔소리

이게 무슨 소리냐?

버킹엄 공작과 늙은 영주 클리포드 등장

내가 죽이라고 명령하는 마당에 어떤 놈이 감히 퇴각인지 회담인지
5 나팔을 부는 게야?

버킹엄 오냐, 여기 우리가 네놈들이 하는 일을 막으려는 것이다!
들거라, 케이드, 우리는 폐하의 대사로 파견되었다.
네놈이 잘못 인도한 평민들에게로,
그리고 너를 버리고 조용히 귀가하는 모든 자들은
10 무조건 사면임을 이 자리에서 선포하노라.

클리포드 어찌하겠는가, 동포들, 뉘우치고
손을 내밀고 있는 자비에 항복하겠는가?
아니면 일개 역적이 그대들을 죽음으로 이끌게 두겠는가?

국왕을 경애하고 그의 사면을 받아들일 자는
모자를 던져 올리고 '국왕 폐하 만세'하고 외쳐라. 15
국왕을 미워하고 프랑스 전체를 벌벌 떨게 한 부왕,
헨리 5세를 존경하지 않는다면
우리에게 무기를 치켜들고, 가버려라.

그들이 모자를 던져 올리고 케이드를 버린다.

폭도들 모두 국왕 폐하 만세! 국왕 폐하 만세!

케이드 뭐냐, 버킹엄과 클리포드, 네놈들이 감히? 그리고 너희, 천한 농 20
사꾼들아, 이자가 한 말을 믿느냐? 그 사면장을 목에 두르고 교수
형을 당해 봐야겠다는 게야? 내 칼이 런던 성문을 때려 부셨는데,
너희가 굳이 서더크의 '화이트 하트' 여인숙 앞에서 날 버리겠다
는 것이냐? 나는 너희가 이 무기를 버리지 않을 것이라고 생각했
다. 너희가 예전의 자유를 회복할 때까지는 말이다. 하지만 너희 25
는 모두 변절자에 겁쟁이고, 귀족의 노예 신세로 사는 게 좋은 모
양이로다. 저들이 짐짝으로 너희 등을 망가뜨리고, 너희 집을 송
두리째 빼앗고, 너희들 눈앞에서 아내와 딸을 겁탈하더라도 나는
내 몸 하나만 잘 건사할 것이니. 하느님의 저주가 너희 모두에게
내리기를. 30

폭도들 모두 케이드를 따르자! 케이드를 따르자!

그들이 다시 케이드한테 달려간다.

클리포드 케이드가 헨리 5세의 아들이라도 된단 말이냐
저놈과 함께 가겠다고 이렇게 외쳐대고 있으니?
저놈이 너희를 프랑스 심장부로 데려가
35 너희 중 가장 비천한 자까지 백작이나 공작을 시켜 준단 말이냐?
저런, 저놈은 집도 없고, 달아날 곳도 없느니라.
너희들 친구들과 우리 것을 강탈하는 것 말고는 말이다.
어떻게 먹고 살아가야 할지 알지도 못하는 놈이다.
너희가 분란을 일으키면, 최근 너희가 굴복시켰던
40 소심한 프랑스인들이 분발하여 바다를 건너와서
너희를 굴복시킨다면 어찌 수치스럽지 않겠느냐?
나는 이미 이 국내 분란으로
만나는 사람 모두한테 '비겁자!'라 쏘아붙이며
그들이 런던 거리에서 주인 행세하는 걸 보는 듯하노라,
45 비천한 케이드처럼 비천한 자가 만 명이나 죽는 것이
너희가 한 명의 프랑스인에게 자비를 바라는 것보다 더 낫지.
프랑스로 가라! 프랑스로! 가서 너희가 잃어버린 것을 되찾아라!
너희 고향 해변이니, 잉글랜드를 소중히 여기라.
헨리 왕은 부유하고 너희는 강하고 남자답다,
50 하느님은 우리 편이다, 승리를 확신하라.

폭도들 모두 클리포드! 클리포드! 국왕과 클리포드를 따르자.

그들이 케이드를 버린다.

케이드 [방백] 바람에 날리는 깃털인들 이 떼거리들보다 더 가벼울까? 헨

리 5세의 이름을 듣고서 저들은 백 가지 해악에 붙잡혀서 날 황량하게 두고 떠나는구나. 놈들이 머리를 맞대고 수군대는 꼴이 날 잡겠다는 거야. 이 검으로 길을 뚫고 나가야겠다. 여기 머물면 안 되겠으니. 악마든 지옥이든, 내 네놈들의 한가운데를 뚫고 지나가겠노라! 그리고 하늘과 명예는 내 결의가 부족해서가 아니라, 오로지 나를 따르던 자들의 천하고 비열한 배반 때문에 내가 어쩔 수 없이 도망치는 것임을 증명하리라. 55 퇴장.

버킹엄 아니, 도망간다구? 어서, 일부는, 저놈을 따라가라. 60
저놈의 목을 국왕께 바치는 자는
천 크라운을 보상으로 내릴 것이니.

몇 사람 퇴장.

날 따르라, 병사들, 너희 모두를 국왕과 화해시킬
방도를 마련할 테니.

모두 퇴장

9장

케닐워스 성

나팔 소리, 테라스 위로 헨리 왕, 마가렛 왕비, 그리고 소머셋 공작 등장

헨리 왕 지상의 왕좌를 차지한 왕 가운데 도대체
나만큼 만족하지 못한 왕이 어디 있겠느냐?
요람에서 기어 나오자마자, 태어난 지 아홉 달 만에
내가 왕위에 오른 것이오.
5 국왕 자리에 오르기를 바라는 신하가 있더라도
신하가 되고자 하는 내 마음을 따르지 못할 것이오.

테라스 위로 버킹엄 공작과 클리포드 등장

버킹엄 폐하께 건강을 기원하며 기쁜 소식을 올리옵니다.
헨리 왕 그럼, 버킹엄 반역자 케이드를 잡은 거요?
아니면 그냥 후퇴하여 원군을 구하려는 것이오?

밑으로 폭도 떼들이 각자 목에 올가미를 걸고 등장

10 **버킹엄** 폐하, 그자는 달아났고, 폐하, 병사들은 모두 항복하여
이렇게 목에 올가미를 걸고 겸허하게
폐하의 생과 사냐 하는 판결을 기다리나이다.

헨리 왕 그렇다면, 하늘이여, 당신의 영원한 문을 여시어
저의 감사와 찬양의 감사를 받아 주소서.
병사들아, 오늘 너희는 생명을 되찾았노라. 15
그러고 군주와 조국에 대한 너희의 사랑을 보여 주었노라.
이토록 선량한 마음을 늘 간직하라.
그러면 헨리는, 불행한 왕이기는 하나,
너희들을 무정하게 대하지 않을 것을 확실히 보장하노라.
너희 모두에게 감사하고 사면하노니, 20
너희들 각자의 고향으로 돌아가거라.

폭도들 모두 국왕 폐하 만세! 국왕 폐하 만세! [폭도들 모두 퇴장]

위로 사자 등장

사자 황공하오나 폐하께 아뢰옵니다.
요크 공작이 최근 아일랜드에서 돌아와
아일랜드 용병 및 건장한 경보병으로 구성된 25
강력하고 막강한 병력을 거느리고
크게 위세를 떨치며 이리로 진군 중이옵니다.
오면서 그가 계속 공언하는 내용은,
그의 군대는 소머셋 공작을, 반역자로 규정하고
오로지 폐하로부터 그자를 제거하려는 것이랍니다. 30

헨리 왕 그렇게 내 처지는, 케이드와 요크 사이에서 고통을 겪는
한 척의 배와 같구나, 폭풍우를 피하자마자
바로 고요한 바람이 불더니 바로 해적이 쳐들어 온 배와 같구나.

막 케이드 몰아내고, 폭도들은 흩어졌는데,

35 이제 요크가 무장을 하고 군사를 일으키니

부디, 버킹엄, 가서 요크를 만나 주시오.

그리고 거병한 까닭이 무엇인지 물어보시오.

내 소머셋 공작을 탑으로 보내겠다고 말하시오.

그리고 소머셋, 요크의 군대가 해산될 때까지.

40 짐이 그대를 그곳에 가두겠소.

소머셋 폐하, 제 몸을 기꺼이 옥에 맡길 것입니다.

조국을 위하는 일이라면 죽음도 마다하지 않겠습니다.

헨리 왕 절대로, 너무 험한 말은 삼가시오,

그는 성미가 불같아서 거친 말을 견디지 못하오.

45 **버킹엄** 그러하겠사옵니다. 폐하, 만사가 폐하께

좋은 쪽으로 돌아가도록 조치하겠으니 염려마소서.

헨리 왕 갑시다, 여보, 들어가서 좋은 통치법을 배워야겠소.

지금까지는 내 형편없는 치세를 잉글랜드가 저주하는 건지도 모르오.

화려한 치주, 모두 퇴장.

10장

켄투 주, 아이든의 정원

케이드 등장

케이드 빌어먹을 야망!, 빌어먹을 나도 칼을 갖고도 굶어 죽을 판이니! 꼬박 닷새 동안이나 이 숲에 몸을 숨기고 바깥을 엿보지도 못했는데, 나라 전체가 온통 날 잡으려고 덫을 쳐 놓았으니 하지만 이제 배가 너무 고파서 내 목숨을 천년동안 더 늘어지게 살게 해준다고 해도 더는 못 견디겠군. 그래서 한 벽돌담을 넘어 이 정원으로 들어온 거지, 씹을 풀이나 주워 먹을 샐리트[24]가 좀 없을까 하고 말이지. 샐리트는 이런 더운 날씨에 사내 놈 배때기를 식히는 데 나쁘지 않거든. 그리고 이 샐리트라는 말은 생겨나기를 내게 이롭게끔 태어났다고 봐. 왜냐하면 여러 차례, 그 투구가 없었다면, 내 머리통은 피가 갈색으로 말라붙은 미늘창에 둘로 쪼개졌을 거야. 그리고 여러 차례, 내가 목이 마를 때, 그리고 용감하게 진군 중일 때, 1쿼트짜리 맥주잔 대신 술 한 병을 넣을 수도 있으니. 그리고 지금은 '샐리트'라는 단어가 먹거리 노릇을 해 준다는 거고. [그가 누워서 풀을 뜯어 먹는다.]

---

24. 샐리트는 샐러드의 고어이며 또한 주로 15세기에 사용되던 가벼운 철 투구를 지칭한다.

알렉산더 아이든 경과 그의 부하 다섯 명 등장

아이든 이보게들, 궁정에서 시달리다 보면,

15 이런 고요한 산책을 어떻게 즐기겠는가?

아버님이 남겨 주신 이 소박한 유산이

난 만족스럽네. 한 왕국과도 같다고 할만 해.

남을 수척하게 하면서 난 커지고 싶지 않고

눈에 불을 켜고 재산을 모으는 것도 싫고 말이지.

20 내가 가진 걸로 내 신분을 유지하고,

가난한 자들이 문 앞에 놓인 구호품 보고 즐거워하며 떠난다면

만족하지.

케이드 [방백] 이 땅 주인이 날 잡으러 오는군. 내가 길을 잃고 자기 사유

재산을 무단 침입했다 이거지. 이 악당아, 네가 나를 팔아 내 머

25 리를 왕에게 갖다 바쳐 왕의 일천 크라운을 받겠다는 심산이다.

하지만 네놈을 타조 취급하여 쇠를 먹이고 내 칼을 커다란 못바

늘처럼 삼키게 한 다음에야 내가 떠나갈 거다.

[칼을 뽑는다.]

아이든 뭐냐, 이 무례한 자, 네가 누구든,

난 너를 모르는데 어찌 너를 팔아넘길 수 있겠느냐?

30 내 정원에 난입한 것도 모자라,

도적처럼, 내 땅에서 훔쳐 먹으려고

주인인 내 허락도 없이 내 담을 타넘은 것으로도 모자라,

이런 시건방진 말로 네가 감히 나에게 대들겠다는 게냐?

케이드 내게 대들겠다고? 오냐, 지금껏 흐른 가장 훌륭한 피를 걸고 나 또한 도전하겠노라. 나를 잘 봐라. 꼬박 닷새 동안 음식을 입에 대지 못했다만, 네놈과 네 놈의 다섯 부하들, 한꺼번에 덤벼라. 내가 네놈들을 모조리 대갈못처럼 때려죽이지 못한다면 하느님, 나는 앞으로 풀도 먹지 않겠습니다. 35

아이든 아니, 말도 안 되지 잉글랜드가 존재하는 한.
켄트의 향사, 알렉산더 아이든, 40
초라하게 굶어 죽게 된 자와 싸우는데 제 편을 동원할 수는 없지.
눈 똑바로 뜨고 정면으로 내 눈에 맞서 보거라,
네가 노려본들 내가 눈 하나 깜짝할 것 같은가.
팔다리를 봐봐, 그래 봐야 넌 상대가 안 되지
손은 내 주먹의 손가락 밖에 안 되고, 45
내 다리가 두꺼운 장대라면 네 다리는 작대기야.
온 힘을 다해 싸워도 내 발 하나로 싸운 것만 못하고
내 팔 하나만 공중에 들어 올리면
네 무덤을 이미 땅 속에 파 놓은 셈이다.
말로 하자면, 무슨 말을 못하겠느냐마는 50
말로 다하지 못한 말을 내 칼이 할 것이다.

[칼을 뽑는다.]

케이드 참으로, 듣자하니 대단한 상대감이로구나. 강철아, 날이 휘거나 저 통뼈인 시골뜨기를 쇠고기 자르듯 저며 내지 못하고도 칼집에 들어 잠을 잔다면, 무릎 꿇고 하느님께 부탁해 너를 구두징으로 만들어 버릴 것이다. 55

(둘이 싸우고, [케이드가 쓰러진다])

오, 내가 죽는구나! 다름 아닌 굶주림이 날 죽였도다! 악마 만 명이 한꺼번에 내게 덤비고, 내가 먹지 못한 열 끼만 했다면, 내 그들을 몽땅 물리쳤을 텐데. 정원아, 시들어 버려라. 그리고 앞으로 이 집에 사는 모든 자들의 묘지가 돼 버려라. 정복되지 않은 케이드 영혼이 사라지니 말이다. 60

아이든 내가 죽인 놈이 흉한 반역자인 케이드란 말이지?

칼이여, 너의 공훈을 축성하고

내가 죽으면 내 무덤 위에 걸겠노라.

네 날에서 이 피를 씻어 내지 않고

65 너는 네 주인이 얻은 명예를 그것을 문장 외투처럼 입고

문장이 새긴 외투처럼 입고 밝게 비추게 될 것이다.

케이드 아이든, 잘 있어라. 자네 승리를 뽐내고. 켄트 사람들에게 내 말을 전해 주게, 그들이 가장 훌륭한 동향인을 잃었다고 말이지. 그리고 온 세상 사람들에게 겁쟁이로 살라고 타이르게. 그 누구도 두려워하지 않았으나, 용기가 아니라 굶주림에 굴복하였느니, 70

그가 죽는다.

아이든 네놈이 아무리 고약한 말을 해도, 신은 아신다.

죽어라, 네놈을 낳은 어미에게도 저주 받을 흉물이로구나!

내 칼로 네놈을 찌르듯

내 바람은 널 지옥에 처넣는 것이다.

75 네놈 발을 잡아 곤두박이로 끌고 가서

거름더미를 네 무덤으로 삼을 것이야.
그리고 거기서 너무도 사악한 네놈 목을 잘라
의기양양하게 왕께 바칠 것이다.
네 몸통은 까마귀 먹이로 남겨 두고.

시신과 함께 모두 퇴장

5막

1장

다트포드와 블랙히스 사이에 있는 벌판

요크공작과 아일랜드 군대, 고수 한 명 및 깃발 든 병사들과 함께 등장

요크 요크가 아일랜드에서 돌아온 것은 자기 권리를 요구하고,
유약한 헨리의 머리에서 왕관을 낚아채기 위해서다.
위대한 잉글랜드의 정통 왕을 맞이하도록
종을 크게 울리고, 횃불을 밝고 찬란하게 밝혀라.
5 아, 신성한 주권! 누가 그대에게 대가를 치르지 않겠는가?
통치하는 법을 모르는 자는 복종하게 하라,
이 손은 오로지 황금을 쥐기 위해 만들어진 것.
검이나 왕 홀을 잡고 균형을 잡지 못한다면
나는 내 말을 제대로 실천하지 못한 셈이지.
10 검을 지닌 이상 왕 홀을 지니고 말 것이다.
그리고 프랑스 백합꽃 문장을 검 끝에 꽂을 것이다.

버킹엄 공작이 등장한다.

저게 누군가? 나를 방해하려는 자가 버킹엄인가?
왕이 보낸 것이 분명해. 시치미를 떼야겠군.
버킹엄 요크, 그대가 진심이라면, 진심으로 환영하겠소.

요크 버킹엄 험프리 공, 그대의 환영을 받아들이오. 15

공은 사신으로 온 것이요, 아니면 그냥 오신 거요?

버킹엄 우리 군주, 헨리 왕께서 보낸 사신이요,

평화 시 이런 무장한 군대를 이끌고 온 연유를 알고 싶소.

공은 나와 같은 신하이면서,

맹세와 충성 서약을 어기고, 20

폐하의 허락도 없이 이토록 대규모 군대를 일으켜,

궁정 가까이까지 진군한 이유가 무엇인가?

요크 [방백] 울화가 치밀어 말이 나오지 않는구나.

이자의 야비한 말투에 너무 화가 나

오, 바위도 토막 내고 부싯돌과도 싸울 수 있겠다, 25

하여 지금, 아이잭스 텔라모니우스처럼,

양떼나 황소떼한테 내 분노를 퍼부을 수도 있겠어.

내가 저 왕보다 훨씬 훌륭한 혈통이라구,

더 왕답고, 생각하는 바도 훨씬 더 왕답지.

허나 헨리가 더 약해지고 내가 더 강해질 때까지. 30

아직은 최선을 다해야지.

버킹엄 공, 잠시 답을 미룬 것을

부디 용서하시오.

마음이 몹시 우울해서요.

내가 이 군대를 이리로 데려온 것은 35

오만한 소머셋을 국왕한테서 제거하기 위해서요,

그자야말로 폐하와 국가의 치안을 방해하는 자이니.

버킹엄 그건 공이 너무나 주제넘은 거 같은데,
허나 공의 군대가 다른 목적이 없는 거라면,
40 국왕께서 이미 공의 요구를 받아들이셨소.
소머셋 공작은 런던탑에 있소.

요크 공의 명예를 걸고, 그가 수감되었습니까?

버킹엄 내 명예를 걸고, 그는 수감자요.

요크 그렇다면, 버킹엄, 군대를 해산시키겠소.
45 병사들, 너희 모두에게 감사를 표한다, 해산하라,
내일 세인트 조지 벌판에서 만나기로 하자.
급료를 지불하며 원하는 것 모두를 받게 될 것이다.

[병사들 퇴장]

그리고 우리 군주, 덕망 높으신 헨리 폐하께,
폐하에 대한 나의 충성과 경애의 담보물로
50 내 맏아들을, 아니, 아들 전부를 받아 주십사 전해 주시오.
내가 살아 있는 것만큼 기꺼이 그들을 보내겠소.
소머셋만 죽는다면, 토지, 재화, 말, 갑옷과 투구,
내가 가진 것 모두 폐하의 것이오.

버킹엄 요크 공, 이 적절한 복종을 인정하겠소.
55 둘이 폐하 막사로 가십시다.

헨리 왕과 시종들 등장

헨리 왕 버킹엄 공, 서로 팔짱을 끼고 오는 것을 보니,
요크 공이 짐을 해칠 생각이 없는 게지요?

요크 복종과 겸손을 다하여
요크가 폐하께 이 몸을 바칩니다.
헨리 왕 그렇다면 공은 무슨 의도로 군대를 이끌고 온 것이오? 60
요크 반역자 소머셋을 폐하 곁에서 제거하고,
이미 패해서 도망쳤다고 들은 바 있으나 흉악한 폭도인
케이드에 대항하기 위해서입니다.

아이든이 케이드의 머리를 들고 등장

아이든 이토록 무례하고 신분이 낮은 자가
폐하를 뵈올 수 있는 것이라면 65
보십시오, 폐하께 반역자의 머리를 바치나이다.
제가 결투에서 죽인 케이드의 머리입니다.
헨리 왕 케이드 머리? 위대한 하느님, 과연 정의로우십니다!
살았을 때 내게 엄청난 시름을 안겼던 것이니.
죽었으니, 어디 보자, 그놈의 얼굴을. 70
말해 다오, 나의 친구여, 그대가 저자를 죽였는가?
아이든 황공하오나, 그렇습니다.
헨리 왕 그대 이름은 무엇인가? 그리고 신분은?
아이든 알렉산더 아이든, 그것이 제 이름입니다.
폐하를 경애하는 켄트의 보잘 것 없는 향사이옵니다. 75
버킹엄 폐하, 황공하오나, 이 훌륭한 공로로
이자에게 기사 작위를 내리시는 것이 마땅하옵니다.
헨리 왕 아이든, 무릎을 꿇으라. [아이든이 무릎을 꿇는다.]

기사로서 일어서라. [아이든이 일어난다.]

80 짐은 그대에게 1천 마르크를 상으로 내리고,

명하노니 이제부터 짐을 곁에서 돌보아다오.

아이든 아이든은 살아 있는 동안 그 은혜에 보답하고,

폐하께 충성을 다하겠습니다. [퇴장]

마가렛 왕비와 소머셋 공작 등장

헨리 왕 [방백] 저런, 버킹엄, 소머셋이 왕비와 함께 오는구려.

85 가서 요크 공이 보지 않도록 빨리 숨기라 하세요.

마가렛 왕비 천 명의 요크가 와도 소머셋은 머리를 숨기기는커녕

당당히 서서 맞설 것입니다.

요크 이게 무슨 일이지? 소머셋이 자유의 몸이다?

그렇다면, 요크, 오랫동안 가슴에 품은 생각을 털어놓고,

90 네 혀가 속마음을 드러내도록 하라.

내가 소머셋을 참고 봐야 한단 말인가?

거짓말쟁이 왕, 내가 얼마나 모욕을 못 견디는지 알면서

왜 당신은 이렇게 내 신뢰를 저버리는가?

내가 당신을 '왕'이라 불렀지? 아니지, 당신은 왕이 아니야,

95 나라를 통치하고 다스리기에 부족하지.

반역자 다스리는 일을 할 수도 없으니, 감히 어림도 없다.

당신의 머리는 왕관에 어울리지 않아.

당신 손은 순례자 지팡이를 쥐기에 알맞지.

위엄 있는 왕 홀에 은총을 내릴 손이 아니야.

그 금이 둘러싸야 하는 건 나의 이 이마라오, 100
아킬레스의 창과도 같이, 내 이마가 웃고 찌푸림에 따라
능수능란하게 죽였다 살렸다 할 수 있거든.
여기 이 손이 왕 홀을 잡을 손이며,
법령을 시행할 손이다.
자리를 내놔! 하늘에 두고 맹세하니, 당신은 더 이상 나를 지배하지 못하리. 105
하늘이 나를 당신의 지배자로 만들었다.

소머셋 오 흉악한 반역자! 국왕과 왕관에 대한 대역죄로,
너를 체포한다, 요크.
복종하라, 대담한 반역자, 무릎 꿇고 자비를 구하라.

요크 나보고 무릎을 꿇으라고? 우선 이들에게 물어보자. 110
내가 남 앞에서 무릎을 꿇는 것을 보고만 있을 건가.
여봐라, 내 아들을 부르라, 내 보증인으로 삼을 것이니. [시종 퇴장]
틀림없이, 저들이 나를 가두기 전에,
아들들이 검을 담보로 날 풀어 줄 것이다.

마가렛 왕비 즉시, 클리포드를 부르시오. 115
요크의 사생아들도 반역자 아버지를
보증할 자격이 되는지 와서 답하라고 하시오.

버킹엄 퇴장

요크 오 피로 얼룩지고, 나폴리에서 추방된 나폴리 여인,
너 때문에 잉글랜드를 벌주는 피비린 재앙을 겪는구나!

120 요크의 아들들은, 너보다 혈통이 더 좋으며
아버지한테 보증인 되고, 내 보증인으로
그 아이들을 거부하는 자들은 살려두지 않겠다!

에드워드와 리처드 등장.

저기 오잖느냐, 장담컨대 그들이 잘 처리해줄 것이다.

클리포드와 그의 아들 등장

마가렛 왕비 요크 아들이 보증인이 되지 못하게 클리포드도 왔군요.
클리포드 [헨리 왕 앞에 무릎 꿇으며]
125 국왕 폐하의 만수무강을 비나이다. [일어선다]
요크 내 감사를 표하오, 클리포드, 그래, 무슨 일이오?
아니, 그런 화난 표정으로 짐을 놀라게 하지 마시고.
짐이 그대의 주군이오, 클리포드, 다시 무릎 꿇으라.
그대가 실수하는 것은 짐이 용서하는 바이니.
130 **클리포드** 이분이 나의 왕이시다, 요크, 난 잘못 보지 않았어.
내가 잘못 봤다고 생각한다면 네가 나를 잘못 본 것이다.
저자를 정신병원으로 보내소서! 미친 거 아닙니까?
헨리 왕 그렇소, 클리포드, 미치고 야심에 차서
자신의 왕에게 대적하려고 하오.
135 **클리포드** 이자는 반역잡니다, 런던탑으로 보내서
당쟁을 일삼는 이놈의 목을 치게 하소서.

마가렛 왕비 체포되었는데도, 복종하려고 하지 않고
아들들이 보증을 해 줄 거라고 하네요.
요크 그래 주지 않겠느냐, 아들들아?
에드워드 예, 아버님, 소자들의 말이 도움이 된다면. 140
리처드 말이 도움이 되지 않으면 검이 할 것입니다.
클리포드 이런, 참으로 고약한 반역자의 병아리새끼들이로다!
요크 거울을 보거라, 네 모습이 바로 그러하니라.
내가 너의 왕이고, 너야말로 가슴 시커먼 반역자야.
나의 용맹한 곰 두 마리를 여기 말뚝에다 불러라.[25] 145
사슬을 그냥 흔들기만 해도,
지독히 틈을 엿보는 똥개들이 놀래 질겁하리라!
설즈베리와 워릭을 내게로 오도록 하라.

워릭 및 설즈베리 백작 등장.

클리포드 저놈들이 너의 곰들이냐? 저들을 곰 놀리기 장소로
데려오겠다면 곰은 죽여주고 곰을 부리는 자는 그 사슬로 150
수갑을 채워 주마.
리처드 흔히 봤지, 흥분하고 건방진 똥개들이
묶여있는 곰을 보고 겁 없이 날뛰며 물어뜯다가
곰의 난폭한 앞발에 한 방 얻어맞으면
꼬리를 다리 사이에 끼고는 깨갱 우는 거라. 155

---

25. 곰 놀리기(bear-baiting)로 쇠사슬로 묶인 곰에게 개를 덤비게 하는 놀이. 여기서 두 마리의 곰은 설즈베리와 워릭 부자를 지칭한다.

워릭 경에게 맞서 보겠다고 나서면
당신이 바칠 충성이라는 게 바로 그 짝일 게야.

클리포드 꺼져라, 울화통 터지게 만드는, 더러운 쓰레기 같은 놈아,
생긴 것만큼이나 하는 짓도 비뚤어졌구나!

160 **요크** 웬걸, 이제 곧 네놈을 완전 열 받게 해주마.

클리포드 조심해야지, 네 열기가 네놈 자신을 태울 수가 있어.

헨리 왕 어인 일인가, 워릭, 경은 무릎 굽히는 법을 잊었는가?
설즈베리 경은, 그대 백발이 수치스럽지도 않은가,
머리가 이상한 아들을 잘못 인도하는 미친 애비로다!
165 아니, 죽음의 침상에 들게 된 마당에 악당 노릇을 하다니,
두 눈으로 슬픔을 찾으려는 게요?
오, 신의는 어디 갔소? 오, 충성심은 어디 갔소?
서리 내린 머리에서 추방되었다면,
이 세상 어디에서 피난처를 찾는단 말이오?
170 경은 무덤을 파며 전쟁을 일으키고,
명예로워야 할 노년을 피로 모욕할 셈이오?
아니, 그대는 나이를 먹고도 경험이 없단 말이오?
있다면 어째서 그걸 악용하는 게요?
수치를 알고 내게 무릎을 굽히시오,
175 나이가 많아 무덤을 향해 굽히는 그 무릎 말이오.

설즈베리 폐하, 너무나 명망 높으신 공작의 칭호에 대해
제가 혼자 곰곰 생각해 보았소,
그리고 이분께서 잉글랜드 왕좌의 정당한 계승자임을

제 양심으로 결론을 내렸소.

헨리 왕 그대는 내게 신하의 충성을 맹세하지 않았는가? 180

설즈베리 했습니다.

헨리 왕 이렇게 서약을 깨고도 하늘이 용서할까?

설즈베리 죄악에 맹세하는 것은 엄청난 죄악지이만,

더 큰 죄악은 죄 많은 서약을 지키는 일입니다.

아무리 엄숙한 맹세를 했다고 해서 185

살인을 하거나, 강도짓을 하고,

순결한 처녀의 정조를 능욕하고,

고아의 유산을 앗아가는 짓을,

과부의 재산을 손목 비틀어 빼앗는 짓을 저지르겠습니까?

이게 악행을 저지르는 것이라면 190

엄숙히 맹세했다 해도 지켜야 하겠습니까?

마가렛 왕비 교활한 반역자가 하는 말은 궤변가 뺨치는구나.

헨리 왕 버킹엄을 부르라, 그리고 무장하라고 명하라.

요크 버킹엄과 너의 모든 친구들을 부르라,

난 죽거나 왕관을 갖거나 둘 중 하나로다. 195

클리포드 내 꿈이 맞다면, 너는 죽음이다. 내 장담하지.

워릭 너는 침대로 가서 다시 꿈이나 꾸는 게 좋겠어,

전장의 폭풍우를 피할 수 있을 게다.

클리포드 네놈이 오늘 불러일으킬 것보다

더한 폭풍우도 견디기로 나는 결심했느니라 200

그리고 내 결의를 네 투구에다 새기리라.

네 가문 문장의 꼭대기 장식으로 내가 널 알아볼 것이다.

워릭 지금 내 부친의 휘장, 오랜 네빌 가문의 장식인 말뚝에
사슬로 묶인 광포한 곰을 걸고,
205 오늘 나는 가벼운 투구를 높이 쓰고 나설 것이다.
폭풍이 몰아쳐도 잎 하나 떨어뜨리지 않고
산꼭대기에 우뚝 선 삼나무처럼,
네가 그 모습을 보고 떨 정도로 의연하게 말이다.

클리포드 그러면 나는 네 투구에서 네 곰을 찢어 내어,
210 곰 지키는 곰 주인 앞에서
온갖 욕설과 함께 발로 짓밟아 줄 테다,

클리포드 아들 전승의 아버님, 이제 무장을 하소서.
반역자와 그 일당을 진압해야지요.

리처드 쯧, 불쌍해라, 수치로다! 악담 말거라.
215 네놈은 오늘 밤 예수 그리스도와 저녁을 먹게 될 테니.

클리포드 아들 더러운 흉물 주제에, 네가 할 말이 아니다.

리처드 하늘나라 아니면, 지옥에서 저녁을 반드시 처먹겠지.

따로따로 모두 퇴장

2장

세인트 앨번스

성이 그려진 선술집 간판, 전투 경보, 워릭 등장.

워릭 컴버랜드의 클리포드, 워릭이 부르노라!
네가 곰을 피해 숨어 있는 것이 아니라면,
성난 나팔이 전투 경보를 울리고,
죽어가는 자들의 비명 소리가 허공을 채우는 지금,
클리포드, 어서 나와서 나와 싸우자! 5
오만한 북쪽의 영주, 컴버랜드의 클리포드,
워릭은 네게 결투를 청하느라 목이 쉬었다.

요크 공작 등장

워릭 어인 일이시오, 공작님! 아니, 말은 어쩌시고?
요크 사람을 죽이려 드는 클리포드가 내 말을 죽였소.
허나 난 대등하게 그와 맞섰소, 10
놈이 그토록 아끼던 준마를
썩은 고기 먹는 솔개와 까마귀 먹이로 만들었지.

클리포드 영주 등장

워릭 혼자든, 둘이서 잡든 간에 놈을 잡을 때가 왔습니다.

요크 잠깐, 워릭—그대는 다른 사냥감을 찾으시게.

15 내가 직접 이 사슴을 죽이고 싶으니.

워릭 그렇담, 요크 공작이 싸우시는 것은 왕관을 위한 것이오니.

클리포드, 오늘이야말로 잘 해내고 싶었는데,

널 공격하지 않고 그냥 가다니 유감스럽다. [퇴장]

클리포드 요크, 날 왜 그렇게 보는 거냐? 왜 멈칫하지?

20 **요크** 네가 나의 철저한 적만 아니라면

너의 용감함에 경탄했을 것이다.

클리포드 너의 용기가 천하고 반역에 나타난 것이 아니라면,

너의 용맹에 찬양과 존경이 부족하지 않았을 것이다.

요크 나의 용기는 정의와 진실에 나타나므로

25 너의 검을 상대로 싸우겠다.

클리포드 나야말로 몸과 마음을 정의와 진실에 걸었다.

요크 대단한 걸 걸었군! 당장 덤벼라.

둘이 싸운다. 그리고 클리포드가 쓰러진다.

클리포드 일은 최후에 결단난다. [죽는다.]

요크 싸움이 죽은 네 몸에 편화를 안겨주었다.

30 하늘이시여, 당신 뜻이라면, 저자의 영혼을 평안하게 하소서.

클리포드 아들 등장

클리포드 아들 온통 치욕과 혼란이구나, 모두 완패야,

두려움이 혼돈을 낳고, 혼돈을 지켜야할 곳에

상처를 내고 있다. 오, 전쟁, 성난 하늘이 대행자로 임명한,

너는 지옥의 아들이다,

얼어붙은 우리 편 가슴에 35

뜨거운 복수의 석탄을 던져라! 한 명의 병사도 도망치게 마라!

진정으로 전쟁에 헌신적인 자는

자신을 사랑하지 않는다, 자신을 사랑하는 자 또한

본질이 아니라 순전히 우연으로

용기의 이름을 갖는구나. [아버지의 시신을 본다.] 40

오 사악한 세상, 끝장나버려라!

최후 심판의 날에 타오를 불꽃에

하늘과 땅을 함께 던져라.

이제 모든 나팔들 한껏 울려

일상의 사소한 소리들을 45

멈추게 하라! 이것이 아버님의 운명이십니까,

청춘을 평안히 보내시고,

은빛 백발이 무성한 노년에 이르셔

존경과 안락한 의자에 앉아계셔야 이렇게

잔인한 전투에서 돌아가시는 겁니까? 이 모습을 보니 50

제 심장은 돌이 되고, 그것이 내 것인 한

늘 돌일 거예요. 요크가 우리 가문 노인을 살려 주지 않으니

나도 저들의 아기들까지도 더 이상 안 봐줄 거요, 처녀의 눈물은

불을 더욱 거세게 하는 이슬과 같을 것이고,
55 폭군을 종종 갱생시키는 아름다움은
불꽃같은 내 분노에 기름과 아마일 겁니다.
이제부터 저는 자비와 일체 담을 쌓을 겁니다.
요크 가문의 아기를 보기만 하면
잔인한 메데아가 어린 압시르투스를 죽인 것처럼
60 살덩어리를 조각조각 난도질 할 겁니다.
나의 명성을 잔혹함으로 얻겠습니다.
가세요, 그대 오랜 클리포드 가문의 새로운 파멸이시여,

[그가 자기 아버지의 시신을 등에 멘다.]

이니아스가 늙은 아버지 안키세스를 등에 메듯이,
제 사내다운 어깨 위에 아버지를 메고 가리다.
65 하지만 이니아스가 멘 것은 산 짐이었으니,
제가 진 비통의 짐에 비하면 전혀 무겁지 않았겠지요.

시신과 함께 퇴장
소머셋 공작과 리처드가 싸우며 등장
소머셋이 살해된다.

리처드 그렇게 너는 거기 누워있어라.
지질한 선술집 간판 밑이다.
소머셋 세인트 앨번스 성이라는 선술집 밑에 죽어서
70 소머셋이 자신의 죽음을 예언한 마법사를 유명하게 만들었다.
칼아, 단단하여라, 마음이여, 계속 분노하라—

사제들은 적을 위해 기도하지만, 왕자는 적을 죽이는 법.

소머셋의 시신을 끌고 퇴장

전투 경보, 헨리 왕, 마가렛 왕비, 그리고 다른 사람들 등장

마가렛 왕비 어서요, 폐하, 너무 느려요. 창피하니, 어서!

헨리 왕 우리가 신의 섭리를 피할 수 있겠소? 마가렛, 멈춥시다.

마가렛 왕비 당신 어떻게 된 사람이에요? 싸우려고도 도망치려고도
않으시니 75
지금 사내답고, 현명하고, 방어를 하는 방법은
적에게 길을 내주고, 가능한 한 신변의 안전을 도모하는 것입니다.
우리가 할 수 있는 건 도망뿐이라고요.

먼 데서 전투 경보

폐하가 잡히시면, 우리의 모든 운명은
바닥으로 가라앉을 거예요, 허나 우연히 도망친다면— 80
폐하께서 지체하지만 않으신다면—
폐하가 사랑받는 곳 런던에 갈 수 있어요.
거기서 우리 운명에 생겨난 갈라진 틈을
쉽사리 막을 수 있을 거예요.

클리포드 아들 등장

85 **클리포드 아들** 제 마음에 닥칠 화가 심상찮지 않다면,

신성모독을 하면 했지 두 분께 도망치라고는 안 할 거예요.

하지만 도망치셔야 해요. 남은 병력이

돌이킬 수 없는 패전 속에 빠져 있습니다.

피하셔서 목숨을 구하시고, 살아계시면 언젠가는

90 오늘 당한 불운을 저들에게 뒤엎어 줄 수 있을 것입니다.

도망치십시오, 폐하, 어서요!

모두 퇴장

3장

세인트 앨번스 부근의 벌판

전투 경보. 퇴각 나팔. 요크 공작. 그 아들 에드워드와 리처드, 워릭과 설즈베리 백작, 그리고 고수 한 명과 몇몇 기수들을 포함한 병사들 등장

요크 설즈베리 백작의 소식을 누가 아는가?
그 겨울사자가 화가 돋우면
나이 든 몸의 타박상과 시간의 온갖 붓질을,
아랑곳 않고, 혈기왕성한 장정처럼
싸우면 싸울수록 기운이 나더란 말이오. 설즈베리를 잃은 것이라면. 5
이 행복한 날은 행복한 날이 아니오,
우리는 어느 것 하나 얻은 것이 없는 것일 뿐.

리처드 아버님,
오늘 제가 그분을 말에 오르시게 도운 것이 세 번,
몸으로 막아 드린 것이 세 번, 다른 데로 모신 게 세 번입니다, 10
더 이상 나서시지 말고 쉬시라고 말씀드렸지요,
하지만 늘 위험한 곳이면, 늘 그 분의 모습이 보였어요.
마치 소박한 집에 걸려 있는 호화로운 벽걸이 장식처럼
늙고 연약한 몸속에 그분의 의지가 깃들어 있었어요.
저기 고귀하신 그분이 오십니다. 15

설즈베리 등장

이 검에 걸고 맹세하는데, 너는 오늘 훌륭히 싸웠다.

설즈베리 자, 내 검에 맹세코, 오늘 잘들 싸우셨어요, 고맙다, 리처드,
내가 얼마를 더 살지 하느님만 아시는 것이고,
하느님의 뜻으로 오늘 세 번이나
20 그대가 절박한 죽음의 상황에서 날 지켜 주었소.
그래요, 경들, 우리가 이겼지만 원하는 대로 다 된 것이 아니오.
적이 이번에 달아난 것으로는 충분치 않소,
상대는 다시 준비하여 언제 쳐들어올지 모르니.

요크 우리의 안전을 위해 적들을 추적해야 합니다.
25 듣자 하니, 왕이 런던으로 도주하여
긴급 의회를 소집한다는군요.
의회 소환장이 발부되기 전에 왕을 추적합시다.
워릭 경, 어떻겠소, 그들 뒤를 쫓을까요?

워릭 그들 뒤를요? 아니죠, 가능하면 앞질러 가야지요!
30 자, 내 손에 맹세코, 경들, 오늘은 영광스러운 날이었소!
명망 높은 요크 공이 승리하시는 세인트 앨번스 전투는
다가올 모든 시대에 영원히 기억될 것이오.
북을 치고 나팔을 울려라, 그리고 모두 런던으로 진격,
그리고 오늘과 같은 승리의 나날들이 계속 우리에게 있을 것이다!!

화려한 취주, 모두 퇴장

작품설명

총 3부로 구성된 『헨리 6세』 3부작 텍스트는 1623년 2절판(Folio)에 1, 2, 3부 세 작품 모두 수록되어 지금의 텍스트로 존재한다. 4절판(Quarto)에 『헨리 6세 1부』는 실리지 않고, 2부는 2절판(Folio)판에 실린 내용과 많이 달라 『헨리 6세』가 셰익스피어의 작품이 아니고 다른 작품이거나 다른 작가와 셰익스피어의 합작품이라는 등 다양한 설들이 제기되었다. 『헨리 6세』 3부작 각 세 작품에 대한 집필 순서에 대해서도 여러 설들이 제기되는데 창작년도대로 1, 2, 3부를 순서대로 집필하였다는 설도 있고, 2, 3부를 먼저 쓰고 1부를 마지막으로 집필하였다는 설도 있다. 하지만 3부작 가운데 2부가 『요크와 랑카스터 두 명문가의 대결 제 1부』(*The First Part of the Contention between the two famous Houses of York and Lancaster*, 1594), 3부가 『요크공작 리처드의 진정한 비극』(*The True Tragedy of Richard Duke of York*, 1595)이라는 제목으로 1부보다 약 30년 전 먼저 출판된 것으로 2, 3부를 먼저 쓴 것이 정설이라 할 수도 있다. 『헨리 6세 2부』의 주요 원전은 에드워드 홀(Edward Hall)의 『요크와 랑카스터 두 명문 귀족 가문의 통합사』(*The Union of the Two Nobles and Illustrious Families of York and Lancaster*, 1584)이고, 라파엘 홀린셰드(Raphael Holinshed)의 『영국, 스코틀랜드, 아일랜드의 연대기』(*The Chronicles of England, Scotland, and Ireland*, 1577)이다. 셰익스피어는 『헨리 6세』를 통해 요크가와 랑카스터 두 가문의 왕위를 둘러싼 장미전쟁이 시작되는 시점에 주목하고 있다.

『헨리 6세』 3부작은 셰익스피어가 습작기에 썼던 작품이어서 다른 작품, 특히 다른 사극작품들에 비해 완성도가 떨어지고 비평가들의 혹평을 받았다. 하지만 『헨리 6세 2부』가 플롯 구성이 세 작품 중에 가장 훌륭하다는 점에 있어서 대체로 비평적 합의가 이루어졌다. 『헨리 6세 2부』는 헨리 6세가 마가렛 왕비를 왕비로 맞이하는 화려한 취주로 시작된다. 화려한 결혼 취주로 막을 열었지만 곧 섭정직을 맡은 글로스터가 둘의 결혼 조건을 알리는 편지를 읽고 격렬하게 이의를 제기한다. 극의 시작부터 귀족들의 편 가르기가 확연히 드러나고 피의 도살을 예고한다. 마가렛 왕비, 보포 추기경, 서포크 그리고 요크가 글로스터에게 앙심을 품고 글로스터를 체포하고, 글로스터 공작부인마저 마법을 썼다는 누명을 씌워 유배를 보낸다. 예고한 대로 공신들이 하나하나 죽음을 맞이하고 요크의 계략대로 잭 케이드가 반란을 일으키는 등 장미전쟁이 일어나기 전의 혼란한 상황들이 계속해서 펼쳐진다. 마지막에 헨리 왕, 마가렛 왕비, 소머셋 공작과 클리포드 경이 랑카스터 편에 서고 설즈베리와 워릭 백작이 요크와 요크의 아들들을 지지하며 랑카스터와 요크 가문의 장미전쟁이 시작된다.

셰익스피어는 『헨리 6세 2부』에서 1445년에서 1455년을 배경으로 런던 궁중에서 왕과 공신들이 끊임없이 옥신각신하며 갈등을 겪고 음모를 꾸미는 등 실제 일어난 다양한 사건을 긴장감 넘치게 묘사하고 있다. 그는 『헨리 6세 2부』에서 국사보다는 종교에 심취하여 경건하며 주위에 잘 휩쓸리는 유약한 헨리 6세의 모습을 잘 그려내고 있지만 비극의 주인공처럼 자신이 처한 비극적인 상황 속에서 심오한 사색과 자기반성 등을 하는 모습은 그려내지 않는다. 오히려 극의 시작부터 글로스터를 영국의 명예와 국가의 이익을 우선시하는 애국적인 인물로 부각시켜 극의 중심이 헨리 왕이 아닌 글로스터에게 있음을 보여준다. 셰익스피어는 한편으로는 실제 사건 묘사를 통해 다양한 인물들이 벌이는 다양한 사건과 그들의 이해관계를 잘 드러내고 있다. 다른 한편으로는 1450년 높은 조세로 반역을 일으켜 영웅적 존재로 부각한 잭 케이드를 이 작품에서는 일종의 어릿광대로 그리고 실제 사건이나 인물, 발생한 날짜 등을 변경하는 등 상상력을 발휘하여 자신만의 작품으로 완성해 낸다. 특히 잭 케이드 사건은 코믹한 장면으로 묘사되어 셰익스피어 사극의 특징인 부플롯 인물들의 희극적인 요소를 잘 드러내고 있다. 이처럼 셰익스피어는 사료들을 통해 시기에 상관없이 극적 갈등과 주제를 부각시키기 위해 재구성하는 극작술을 이 작품을 통해 보여준다.

또한 『헨리 6세 2부』는 사건의 반복을 통해 극이 진행되는 1부와 달리 인물들을 중심으로 진행되기 때문에 보다 다양한 인물들이 등장하고 인물의 성격묘사도 훨씬 탁월하게 묘사된다. 3막 1장 마지막에 요크가 무대 위에 혼자 남아 하는 독백은 그가 왕위를 차지하고자 하는 야심과

음모를 더욱 강화시키고 한층 더 세련된 이아고의 독백을 연상시킨다. 셰익스피어 사극에서 여성 등장인물들은 수동적이고 존재감이 없는 존재로 등장하지만, 셰익스피어는 이 작품에서 엘리노어와 마가렛 여왕을 통해 사악한 야심으로 가득 찬 타락한 여성인물들을 잘 묘사하고 있다. 보포 추기경은 마지막까지 끈질긴 악마로 묘사되는데 성스러운 성직자가 아닌 군인에 가까우며 권력에 눈이 먼 타락한 인물로 그려진다. 그는 죽음을 앞둔 순간까지도 참회하지 않는 사악함의 극치를 보여준다. 글로스터와 엘리노어의 관계는 훗날 자신의 비극에 등장하는 맥베스와 맥베스 부인을 관계를 연상시키며 5막 1장에서 클리포드가 요크의 아들 리처드에게 "생긴 것만큼이나 하는 짓도 비뚤어졌구나!"라고 말하는 장면은 셰익스피어가 『리처드 3세』에서 괴물 같은 리처드의 모습을 그려낼 것을 짐작할 수 있다. 『헨리 6세 2부』는 다양한 인물들이 사건을 이끌어 가고 인물들의 성격 묘사가 이루어짐으로써 셰익스피어의 비극에서 볼 수 있는 인물의 성격 발전이 이미 이루어지기 시작했다는 데에 의의가 있다. 특히 이러한 특징이 습작기의 사극에서 드러나고 있는 점이 중요하며 앞으로 셰익스피어가 집필하는 다양한 장르의 작품에서 펼쳐 보이는 자신의 극작술의 발전을 미리 예고한다는 점도 이 작품의 특징이라 할 수 있다.

『헨리 6세 2부』는 영국에서 1592년부터 청교도 혁명으로 모든 극장 문을 닫기 전까지 공연된 기록이 특별히 남아 있는 것이 없다. 1612년 벤 존슨(Ben Jonson)이 『헨리 6세』 3부작에 대해 우수한 작품이라고 언급했고, 『요크공작 리처드의 진정한 비극, 1595』의 표지에 팸브로크 백작(Earls of Pembroke) 극단 단원의 여러 번 공연되었다는 기억을 통해 이 3부작이 자주 공연되었을 것이라 짐작된다. 왕정복고 이후 1681년 존 크라운(John Crowne)이 2부의 내용을 축소하여 상당부분 각색해 당시의 반카톨릭 정서를 담아서 공연을 한 바 있다. 주로 각색을 많이 하여 공연이 되다가 1864년 런던의 서리 극장(Surrey Theatre)에서 16세기 이후 처음으로 『헨리 6세 2부』가 원작 그대로 공연되었다. 1899년 벤슨(F. R. Benson)이 스트렛포드 어폰 에이븐에서 공연을 하였고, 1906년에 벤슨은 『헨리 6세』 3부작 전편을 무대 위에 올린 바 있다. 영국에서 1923년 로버트 앳킨스(Robert Atkins)의 공연 이후 한동안 공연되지 않다가 1953년 버밍엄 레퍼토리 극장(Birmingham Repertory Theatre)에서 1부가 공연되고 1957년 올드 빅(Old Vic) 극장에서 3부작 전체가 공연되었다. 1963년 피터 홀(Peter Hall)은 존 바턴(John Barton)이 『헨리 6세』 3부작 전편을 <헨리 6세>와 <에드워드 4세> 두 편으로 집약해 개작한 「장미 전쟁」(*The Wars of the Roses*)을 연출하여 스트렛포드에서 공연하였다. 「장미 전쟁」은 1965년 4월부터 5월까지 BBC 채널에서 방영되었다. 이후, 「장미 전쟁」은 호주, 캐나다, 미국에도 방영되었다. 1977년 테리 핸즈(Terry Hands)의 연출로 왕립 셰익스피어 극단(Royal Shakespeare Company)이 스트랫포드에서 3부작 연속 공연으로 무대 위에 올렸다. 미국에서는 1935년 길모어 브라운(Gilmore Brown)이 셰익스피어의 사극 전 작품을 공연한 중에 『헨리 6세 2부』가 공연되었다. 일본에서는 도쿄를 중심으로 1945년부터 『헨리 6세』 3부작이 공연되었다. 이후 1981년에 3부작이 한 번에 상연된 이후, 2000년도에도 종종 상연

되다가 2010년에 3부작을 한 편으로 개작하여 상연되었다. 우리나라에서는 『헨리 6세 3부』가 유라시아 극단의 남육현 연출로 2012년 9월에 대학로 설치극장 정미소에서 상연된 바 있지만 『헨리 6세 2부』는 아직 공연된 바가 없다.

• 참고문헌

Dunton-Downer, Leslie and Riding, Alan. *Essential Shakespeare Handbook*. London: Dorling Kindersley, 2004.

Hattaway, Michael. "Introduction." *The New Cambridge Shakespeare: The Second Part of King Henry VI*. Cambridge: Cambridge UP, 1991.

Shakespeare, William. *The Arden Shakespeare: King Henry VI Part 2*. Ed. Ronald Knowles. London: Methuen, 1999.

한국셰익스피어학회. 『셰익스피어 연극사전』 서울: 동인, 2005.

셰익스피어 생애 및 작품 연보

셰익스피어의 생애와 작품의 집필연대 중 일부는 비교적 정확히 기록되어 있는 자료에 의존할 수 있지만, 대부분은 막연한 자료와 기록의 부족으로 그 시기를 추정할 수밖에 없으며, 특히 작품 연보의 경우 학자들에 따라 순서나 시기에 차이가 있음을 밝힌다.

1564	잉글랜드 중부 소읍 스트랫포드 어폰 에이번Stratford-upon-Avon 출생(4월 23일). 가죽 가공과 장갑 제조업 등 상공업에 종사하면서 마을 유지가 되어 1568년에는 읍장에 해당하는 직high bailiff을 지낸 경력이 있는 존 셰익스피어와, 인근 마을의 부농 출신으로 어느 정도 재산을 상속받은 메리 아든Mary Arden 사이에서 셋째로 출생. 유복한 가정의 아들로 유년시절을 보냄.
1571	마을의 문법학교Grammar School에 입학했을 것으로 추정.
1578	문법학교를 졸업했을 것으로 추정. 졸업 무렵 부친 존은 세금도 내지 못하고 집을 담보로 40파운드 빚을 냄.
1579	부친 존이 아내가 상속받은 소유지와 집을 팔 정도로 가세가 갑자기 어려워짐.
1582	18세에 부농 집안의 딸로 8년 연상인 26세의 앤 해서웨이Anne Hathaway와 결혼(11월 27일 결혼 허가 기록).
1583	결혼 후 6개월 만에 맏딸 수잔나Susanna 탄생(5월 26일 세례 기록).

1585 아들 햄넷Hamnet과 딸 쥬디스Judith(이란성 쌍둥이) 탄생(2월 2일 세례 기록).

1585~1592 '행방불명 기간'lost years으로 알려진 8년간의 행방에 관한 자료가 거의 없음. 학교 선생, 변호사, 군인, 혹은 선원이 되었을 것으로 다양하게 추측. 대체로 쌍둥이 출생 이후 어떤 시점(1587년)에 식구들을 두고 런던으로 상경하여 극단에 참여, 지방과 런던에서 배우이자 극작가로서 경험을 쌓았을 것으로 추측.

1590~1594 1기(습작기): 주로 사극과 희극 집필.

1590~1591 초기 희극 『베로나의 두 신사』(*The Two Gentlemen of Verona*)
『말괄량이 길들이기』(*The Taming of the Shrew*)

1591 『헨리 6세 2부』(*Henry VI*, Part II)(공저 가능성)
『헨리 6세 3부』(*Henry VI*, Part III)(공저 가능성)

1592 『헨리 6세 1부』(*Henry VI*, Part I)(토머스 내쉬Thomas Nashe와 공저 추정)
『타이터스 안드로니커스』(*Titus Andronicus*)(조지 필George Peele과 공동 집필/개작 추정)

1592~1593 『리처드 3세』(*Richard III*)

1592~1594 봄까지 흑사병 때문에 런던의 극장들이 폐쇄됨.

1593 「비너스와 아도니스」(*Venus and Adonis*)(시집)

1594 「루크리스의 강간」(*The Rape of Lucrece*)(시집)
두 시집 모두 자신이 직접 인쇄 작업을 담당했던 것으로 추정되며, 사우샘프턴 백작The third Earl of Southampton에게 헌사하는 형식.

챔벌린 극단Lord Chamberlain's Men의 배우 및 극작가, 주주로 활동.

1593~1603 및 이후 『소네트』(*Sonnets*)

1594 『실수 연발』(*The Comedy of Errors*)

1594~1595 『사랑의 헛수고』(*Love's Labour's Lost*)

1595~1600 2기(성장기): 낭만희극, 희극, 사극, 로마극 등 다양한 장르 집필.

1595~1596 『로미오와 줄리엣』(*Romeo and Juliet*)

『리처드 2세』(*Richard II*)

『한여름 밤의 꿈』(*A Midsummer Night's Dream*)

『존 왕』(*King John*)

1596 아들 햄넷 사망(11세, 8월 11일 매장).

부친의 가족 문장 사용 신청을 주도하여 허락됨(10월 20일).

1596~1597 『베니스의 상인』(*The Merchant of Venice*)

『헨리 4세 1부』(*Henry IV, Part I*)

스트랫포드에 뉴 플레이스 저택Great House of New Place 구입(마을에서 두 번째로 큰 저택으로 런던 생활 후 은퇴해서 죽을 때까지 그곳에 기거).

1598 벤 존슨Ben Jonson의 희곡 무대에 출연.

1598~1599 『헨리 4세 2부』(*Henry IV*, Part II)

『헛소동』(*Much Ado About Nothing*)

	『헨리 5세』(*Henry V*)
1599	시어터 극장The Theatre에서 공연하던 셰익스피어의 극단이 땅 주인의 임대계약 연장을 거부하자 '극장'을 분해하여 템즈강 남쪽 뱅크사이드 구역으로 옮겨 글로브 극장The Globe을 짓고 이곳에서 공연. 지분을 투자하여 극장 공동 경영자가 됨.
1599~1600	『줄리어스 시저』(*Julius Caesar*)
	『좋으실 대로』(*As You Like It*)
1601~1608	3기(원숙기): 주로 4대 비극작품이 집필, 공연된 인생의 절정기
1600~1601	『햄릿』(*Hamlet*)
	『윈저의 즐거운 아낙네들』(*The Merry Wives of Windsor*)
	『십이야』(*Twelfth Night*)
1601	「불사조와 거북」(*The Phoenix and the Turtle*)(시집)
	아버지 존 사망(9월 8일 장례).
1601~1602	『트로일러스와 크레시다』(*Troilus and Cressida*)
1603	엘리자베스 여왕 사망(3월 24일). 추밀원이 스코틀랜드의 제임스 6세를 잉글랜드의 제임스 1세로 선포.
	제임스 1세 런던 도착(5월 7일) 후 셰익스피어 극단 명칭이 챔벌린 경의 극단에서 국왕의 후원을 받는 국왕 극단King's Men으로 격상되는 영예(5월 19일).
	제임스 1세 즉위(7월 25일).
1603~1604	『자에는 자로』(*Measure for Measure*)
	『오셀로』(*Othello*)
1605	『끝이 좋으면 모두 좋다』(*All's Well That Ends Well*)

	『아테네의 타이몬』(*Timon of Athens*)(토머스 미들턴Thomas Middleton과 공동작업)
1605~1606	『리어 왕』(*King Lear*)
1606	『맥베스』(*Macbeth*)
	『안토니와 클레오파트라』(*Antony and Cleopatra*)
1607	딸 수잔나, 성공적인 내과의사인 존 홀John Hall과 결혼(6월 5일).
1607~1608	『페리클레스』(*Pericles*)(조지 윌킨스George Wilkins와 공동작업)
	『코리올레이너스』(*Coriolanus*)
1608~1613	제4기: 일련의 희비극 집필.
1608	셰익스피어 극장이 실내 극장인 블랙프라이어스Blackfriars 극장을 동료배우들과 함께 합자하여 임대함(8월 9일).
	어머니 메리 사망(9월 9일 장례).
1609	셰익스피어 극장이 블랙프라이어스 극장 흡수, 글로브 극장과 함께 두 개의 극장 소유.
1609~1610	『심벌린』(*Cymbeline*)
1610~1611	『겨울 이야기』(*The Winter's Tale*)
	『태풍』(*The Tempest*)
1611	고향 스트랫포드로 돌아가 은퇴 추정.
1613	『헨리 8세』(*Henry VIII*)(존 플레처John Fletcher와 공동작업설)
	『헨리 8세』 공연 도중 글로브 극장 화재로 전소됨(6월 29일).
1613~1614	『두 귀족 친척』(*The Two Noble Kinsmen*)(존 플레처와 공동작업)
1614~1616	말년: 주로 고향 스트랫포드의 뉴 플레이스 저택에서 행복하

고 평온한 삶 영위.

1616 둘째 딸 쥬디스, 포도주 상인 토마스 퀴니Thomas Quiney와 결혼(2월 10일).

쥬디스의 상속분을 퀴니가 장악하지 않도록 유언장 수정(3월 25일).

스트랫포드에서 사망(4월 23일. 성 삼위일체 교회 내에 안장).

1623 『페리클레스』를 제외한 36편의 극작품들이 글로브 극장 시절 동료 배우 존 헤밍John Heminge과 헨리 콘델Henry Condell이 편집한 전집 초판인 제1이절판으로 출판됨.

아내 앤 해서웨이 사망(8월 6일).

옮긴이 **오수진**
한국외국어대학교 영어과 졸업. 동대학원 영문학과 석·박사
현재 서원대학교 조교수로 재직 중이다
논문으로는 「『겨울이야기』(*The Winter's Tale*)에 나타난 장르의 변화」, 「『햄릿』에 나타난 이야기하는 그림」, 「셰익스피어의 『겨울이야기』: 에크프라시스」, 「『리어왕』에 나타난 재현방식의 파라고네와 상호작용」 외 다수가 있다.

헨리 6세 2부

초판 발행일 2016년 4월 10일

옮긴이 오수진
발행인 이성모
발행처 도서출판 동인
주 소 서울시 종로구 혜화로3길 5 118호
등 록 제1-1599호
TEL (02) 765-7145 / FAX (02) 765-7165
E-mail dongin60@chol.com
ISBN 978-89-5506-710-1
정 가 10,000원

※ 잘못 만들어진 책은 바꿔 드립니다.